BÜTÜN ŞİİRLERİ

Orhan Veli Kanık 13 Nisan 1914'te İstanbul'da doğdu. Galatasaray Lisesi'nde başladığı öğrenimini Ankara'da sürdürdü. Bir süre İstanbul Üniversitesi Edebiyat Fakültesi Felsefe Bölümü'ne devam etti (1932-36). Ankara PTT Genel Müdürlüğü'nde memur olarak görev yaptı. Askerlik görevini tamamladıktan sonra MEB Tercüme Bürosu'nda çalışmaya başladı (1945). Daha sonra "kurumda anti-demokratik bir hava esmeye başladığını" söyleyerek görevinden istifa etti (1947). İlk yazıları lise yıllarında çıkardığı *Sesimiz* adlı okul dergisinde, daha sonraki şiir ve şiir yazıları *İnsan, Ses, Gençlik, Küllük, İnkılapçı Gençlik* dergilerinde yayımlandı. 1947 yılından itibaren çeviriye ağırlık veren Orhan Veli, M. A. Aybar'ın çıkardığı *Hür* ve *Zincirli Hürriyet* adlı gazetelerde eleştiriler, *Ulus*'ta "Yolcu Notları" başlıklı yazılar yayımladı. 1941'de liseden arkadaşları Oktay Rifat ve Melih Cevdet Anday ile birlikte *Garip* adlı şiir kitabını çıkararak Türk şiirinde yenileşme hareketini başlattı. 1 Ocak 1949 tarihinden itibaren on beş günde bir yayımlanan *Yaprak* dergisini çıkarmaya başladı. 15 Haziran 1950'ye kadar yayımlanan bu dergiyi parasal güçlükler nedeniyle yayımlayamaz olunca Ankara'dan ayrılıp, İstanbul'a döndü. (*Son Yaprak* adlı özel bir sayı arkadaşları tarafından ölümü üzerine yayımlandı.) 14 Kasım 1950'de İstanbul'da öldü. Şiirlerinden yapılan seçmeler İngilizce, Fransızca, Rusça, Yunanca gibi çeşitli dillere çevrildi.

Yapıtları: (şiir) *Garip* (1941), *Vazgeçemediğim* (1945), *Destan Gibi* (1946), *Yenisi* (1947), *Karşı* (1949), *Bütün Şiirleri* (1951); (düzyazı) *Nesir Yazıları* (1953), *Edebiyat Dünyamız* (1975); (manzum hikâye) *Nasrettin Hoca Hikâyeleri* (1949); (derleme) *Fransız Şiiri Antolojisi* (1947); (çeviri) A.de Musset'den *Bir Kapı ya Açık Durmalı ya Kapalı* (O. Rifat ile, 1943), *Barberine* (1944), Molière'den *Scapin'in Dolapları* (1944), *Sicilyalı yahut Resimli Muhabbet* (1944), *Tartuffe* (1944), *Versailles Tulûatı* (1944), Gogol'den *Üç Hikâye* (Erol Güney ile, 1945), A. R. Lesage'dan *Turcaret* (1946), *La Fontaine'in Masalları* (1948), Shake-speare'den *Hamlet* ve *Venedikli Tüccar* (Ş. Erdeniz ile, 1949), *Batıdan Şiirler* (O. Rifat ve M. Cevdet ile, 1953), J. Anouilh'den *Antigone* (1955), J. P. Sartre'dan *Saygılı Yosma* (1961), *Bütün Çeviri Şiirleri* (1982); Turgenyev'den *El Kapısında* (1994).

Orhan Veli'nin
YKY'deki öteki kitapları:

Bütün Şiirleri *(2003)*
La Fontaine'in Masalları *(2003)*
Nasrettin Hoca Hikâyeleri *(2003)*
Şevket Rado'ya Mektuplar
(Oktay Rifat ve Melih Cevdet Anday ile, Haz.: E. Nedret İşli, 2002)
El Kapısında *(oyun, Turgenyev'den çeviri, Haz.: M. Sabri Koz, 1994)*

ORHAN VELİ

BÜTÜN ŞİİRLERİ

İSTANBUL

Yapı Kredi Yayınları - 1770
Şiir - 162

Bütün Şiirleri / Orhan Veli

Kitap Editörü: Onca Tapınç
Düzelti: İncilay Yılmazyurt

Kapak Tasarımı: Nahide Dikel

Baskı: Şefik Matbaası
Marmara Sanayi Sitesi M Blok No: 291 İkitelli/İstanbul

1.-45.Baskı: Varlık Yayınları, Bilgi Yayınevi,
Can Yayınları, Adam Yayınları, 1951-2002
YKY'de 1. Baskı: İstanbul, Ocak 2003
9. Baskı: İstanbul, Ekim 2004
ISBN 975-08-0528-3

Yapı Kredi Kültür Sanat Yayıncılık Ticaret ve Sanayi A.Ş.
Yapı Kredi Kültür Merkezi
İstiklal Caddesi No. 285 Beyoğlu 34433 İstanbul
Telefon: (0 212) 252 47 00 (pbx) Faks: (0 212) 293 07 23
http://www.yapikrediyayinlari.com
e-posta: ykkultur@ykykultur.com.tr
İnternet satış adresi: http://yky.estore.com.tr
www. teleweb.com.tr

İçindekiler

BÜTÜN ŞİİRLERİ

Yayın Notu: Bazı şiirlerin altında yer alan tarihlerden ilki Orhan Veli'nin orijinal nüshaya koyduğu tarihi, ikincisi dergilerde yayımlandığı tarihi gösterir. Orhan Veli bazı şiirlerini Mehmet Ali Sel adıyla imzalamıştır.

ORHAN VELİ

GARİP

İkinci basım 1945, kapak resmi Agop Arad

Bu kitap ilk defa 1941'de gene Orhan Veli'nin öncülüğüyle ve kendi yazdığı önsözle *Garip* adıyla yayımlanmıştır.

GARİP

GARİP İÇİN

Güçlüklere, bir başına da olsa, karşı koyan insan kuvvetli insan olmalı. Ben bunu yalnız kalıp da ümitsizlik içinde olduğumu hissettiğim anlarda daha iyi anladım. Bununla beraber, senelerden beri, o kadar çok zamanlar yalnız kaldım ki bu hale âdeta alışır, hattâ – kuvvetli olmanın gururunu duyabilmek için – zaman zaman yalnızlığı arar oldum. Şu anda gurur diye isimlendirdiğim bu his başlangıçta bir avunma yolu idi. Hayatlarının, benim gibi, ıstırapla dolu olduğunu sananlar, buna benzer bir sürü avunma çareleri bulmuşlardır. Bu çareler, o yalnız kalmış insanların, yalnızlık anlarındaki arkadaşlarıdır. Hayatın karşısında, hattâ sırasında ölümün karşısında, ancak bu arkadaşların yardımı ile tutunabiliriz. Benim, yukarıda bahsettiğim gurura benzer, birkaç arkadaşım daha var. Vakit olsa da sizinle, onlar hakkında konuşabilsem. Ne iyi olur! Ama, *Garip* için yazacağım bir yazıda işi dertleşmeğe dökersem belki de bana kızarsınız. Onun için, size şimdilik, bunların yalnız bir tanesinden bahsedeyim.

"Hiçbir yaptığımdan pişman olmıyacağım." diye bir karar vermişliğiniz var mıdır? Benim vardır. Çok da faydasını gördüm. Bundan bir hayli zaman evvel böyle bir karar vermemiş olsaydım, üzüntülü günlerimin sayısı muhakkak ki daha fazla olurdu. Bu arada "1941 senesinde *Garip* adlı bir kitap neşretmişim" diye döğünür durur, hele onun yeniden basılmasına dünyada razı olamazdım. *Garip* yeniden basılırken, içimde böylece "yiğitlik bende kalsın" dermişim gibi bir his var. Şiirdeki garip mefhumu üzerinde bugün bir yazı yazmağa kalksam herhalde aynı şeyleri yazmam. Ama, bundan dolayı kim beni haksız bulabilir? Onları beş sene evvel yazmıştım. Beş sene sonra da aynı şeyleri söyliyecek olduktan sonra ne diye yaşadım? O günden ölseydim olmaz mıydı? 1941 senesinde söylediklerim, 1616 senesinde 52 yaşında iken ölen *Shakespeare*'in, 377 yaşında söylemesi lâzım gelen sözlerdi. Aynı şekilde, bundan yüz sene sonra yaşayacak bir şairin sözleri de benim yüz otuz bir yaşında düşüneceğim şeyleri anlatmalıdır.

Bir oluş, bir kendimize geliş devrindeyiz. Dilimizin, günden güne bile, ne kadar değiştiğini farketmiyorsanız benim bir bu yazıma, bir de o zamanlar neşrettiğim *Garip*'e bakın. Göreceksiniz ki fark çok büyük. Bu farkın bütün günahını sakın benim omuzlarıma yüklemeyin; aynı tecrübeyi, başka muharrirlerin yazıları üzerinde de tekrarlayın; işin, değişen, daha ileriye, daha güzele giden bir cemiyetin işi olduğunu anlarsınız. Bu gidişe ayak uyduramamış insanlarla da karşılaşmanız kabil. Ama her ileriye gidişte bir sürü döküntü bırakmıyor, bir sürü fire vermiyor muyuz? Hattâ, çok kere, o döküntüler ayaklarımıza takılıp bizim de yolumuzda yürümemize engel olmuyorlar mı?

Yazdıkça farkediyorum; *Garip*'in müdafaasına kalkışmış gibi bir hâlim var. *Garip*'i kimseye karşı değil, kendime karşı müdafaa etmek isterim. Bunun, etrafımı hiçe sayışımdan geldiğini de sanmayın. *Garip*'i başkalarından evvel kendime karşı müdafaa etmek isteyişim, ondaki kusurları, başkalarından çok, kendim bildiğim içindir. "Benden başka bilen yoktur" demiş gibi de olmıyayım; başkalarından kasdım kitabım hakkında söz söylemiş olanlardır. Bunların içinde, üzerinde durulmağa değer, bir tek tenkid yazısı hatırlıyorum. O tenkidi yazan zat, fikirlerine gerçekten inandığım bir dostumdu. Cemiyete bağlı bir sanatın, ferdin ruhî hayatile ilgilenemiyeceğini söylüyordu. Ben ferdin ruhî hayatının cemiyetten büsbütün ayrı bir hâdise olduğunu ileri sürmemiştim ki. Yoksa o dostum mu işi böyle telâkki ediyor? Etmemesi lâzım. Çünkü zıd nazariyelerin benim kadar uzlaştırıcı olmıyan taraftarları bile, sırasında, kendi fikirlerini karşı tarafın iddialarile tamamlıyorlar. Meselâ hiçbir *Freud*'cü yoktur ki *şuuraltına* itilen temayüllerin oraya cemiyetler tarafından itildiğini, dolayısile şuuraltı dediğimiz âlemin meydana gelmesinde cemiyetin pek büyük bir payı olduğunu kabul etmesin. O zaman söylememişsem şimdi söyliyeyim; *şuuraltı*'nı bir varlık değil, bir *fikrin izahı için ileri sürülmüş bir mefhum* diye kabul ediyorum. Hani birtakım insanların Allahı kabul etmeleri gibi.

Bu bahsi derinleştirmek isterdim. Ama söyliyeceğim sözlerin âlimâne olmasından korkuyorum. Şiir hakkında âlimâne olmadan da söylenebilecek sözler var. Fakat *Garip*'i yazdığım zaman, daha ziyade, *garipliğin* nereden geldiğini düşünmüş, şiirin kıymetleri üzerinde o kadar durmamıştım. Gerçi o kıymetleri, o vakitler, pek de bilmiyordum ya. Ama bugün öyle değil. Şiir üzerinde hem tecrübem fazla, hem bilgim. Bununla beraber o tecrübeleri, o bilgileri anlatmak bana, şu anda, o günkünden daha güç görünüyor. Daha doğrusu, anlatılmasından ziyade, anlaşılmasının güç olacağını sanıyorum. Hoş, böyle olmasa da, söyliyeceğim sözler neye yarayacak bilmem. Fikir tarihi, bir fikir madrabazlığı tarihinden başka bir şey değil. Bugüne gelinceye kadar bir sürü şeyler söylenmiş. Ama, gerçek olarak ne söylenmiş? Bir aralık, bir arkadaşım "Sanat bahislerinde aksini isbat edemiyeceğim mesele yoktur" demişti. Aksi isbat edilemiyecek mesele yoktur demek isbat edilecek mesele yoktur demektir. Mademki isbat edilecek mesele yok; ne diye düşünüyor, ne diye konuşuyor, ne diye yazıyoruz? Sanattan bahsetmek de, sanatla uğraşmak gibi, kaçınılmaz, şifa bulmaz bir hastalık mı yoksa?

İstanbul, Nisan 1945

GARİP*

Şiir, yani söz söyleme san'atı, geçmiş asırlar içinde birçok değişikliklere uğramış; en sonunda da, bugünkü noktaya gelmiş. Bu noktadaki şiirin doğru dürüst konuşmadan bir hayli farklı olduğunu kabul etmek lâzım. Yani şiir bugünkü hâliyle, tabiî ve alelâde konuşmaya nazaran bir ayrılık göstermekte, nisbî bir garabet arzetmektedir. Fakat işin hoş tarafı, bu şiirin birçok hamleler neticesinde kendini kabul ettirmiş, bir an'ane kurmak suretiyle de mezkûr acaipliği ortadan kaldırmış olması. Yeni doğup bugünün münevveri tarafından terbiye edilen çocuk kendini doğrudan doğruya bu noktada idrâk ediyor. Şiiri, kendine öğretilen şartlar içinde aradığından, bir tabiîleşme arzusunun mahsulü olan eserleri hayretle karşılıyor. Garip telâkkisi, öğrendiklerini tabiî kabul edişinden gelmekte. Ona buradaki izafiliği göstermeli ki, öğrendiklerinden şüphe edebilsin.

*

An'ane, şiiri nazım dediğimiz bir çerçeve içinde muhafaza etmiş. Nazmın belli başlı unsurları vezinle kafiyedir. Kafiyeyi ilk insanlar ikinci satırın kolay hatırlanmasını temin için, yani sadece hafızaya yardımcı olmak maksadiyle kullanmışlardı. Fakat onda sonradan bir güzellik buldular. Onu, hikmeti vücudu aşağı yukarı aynı olan vezinle birlikte kullanmayı bir maharet saydılar. Şiirin de menşeinde, diğer san'atlarda olduğu gibi, böyle bir oyun arzusu vardır. Bu arzu iptidaî insan için nazarı itibara alınabilecek bir ehemmiyetteydi. Halbuki insan o zamandan beri pek çok tekâmül etti. Bugünkü insan öyle zan ve temenni ediyorum ki, vezinle kafiyenin kullanılışında kendini hayrete düşüren bir güçlük, yahut da büyük heyecanlar temin

* 1941 yılında yayımlanan *Garip*'teki önsöz.

eden bir güzellik bulmayacaktır. Nitekim bu rahatsız edici hakikati görmüş olanlar, vezinle kafiyeye "ahênk" denilen yeni bir şiir unsurunun ebeveyni nazariyle bakmışlar, bu yeni nimete dört elle sarılmışlar. Bir şiirde eğer takdir edilmesi lâzımgelen bir âhenk varsa, onu temin eden şey, ne vezindir, ne de kafiye. O âhenk vezinle kafiyenin dışında da, vezinle kafiyeye rağmen de mevcuttur. Fakat onu şiirde şuurlu hâle getirip anlayışları en kıt insanlara bile bir âhengin mevcut olduğunu haber veren şey vezinle kafiyedir. Bu suretle farkına varılan, yani vezinle, kafiye ile temin edilen bir âhenkten zevk duyabilmek yahut da lâkırdıyı bu basit ölçüler içinde söylemeyi maharet sayabilmek; safdilliklerin herhalde en muhteşemi olmalıdır. Bunun haricinde bir âhenge inanmaksa, onun şiir için ne kadar lüzumsuz, hattâ ne kadar zararlı olduğunu biraz sonra anlatacağım.

*

Vezinle kafiyenin her şeye rağmen birer kayıt olduğunu da kabul edelim. Bunlar şairin düşüncesine, hassasiyetine hükmettikleri gibi lisanın şeklinde de değişiklikler yapıyorlar. Nazım dilindeki nahiv acaiplikleri vezinle kafiye zaruretinden doğmuş. Bu acaiplikler belki de, ifadeyi genişletmesi itibariyle, şiir için faydalı olmuştur. Hattâ onların, nazım endişelerinin dışında dahi baş tacı edilmeleri ihtimali vardır. Fakat bu kuruluş bazılarının kafalarına "şiir dilinin kendine hâs yapısı" diye dar bir telâkki getirmiş. Bu çeşit insanlar birtakım şiirleri reddederlerken "Konuşma diline benzemiş." diyorlar. Köklerini vezinle kafiyeden alan bu telâkki, hakikî mecrasını arayan şiirde hep aynı izafi garabeti bulacak, onu kabul etmek istemiyecektir.

*

Lâfız ve mâna san'atları çok kere zekânın tabiat üzerindeki değiştirici, tahrip edici hassalarından istifade eder. Bilgisini, terbiyesini geçmiş asırlara borçlu olan insan için bundan daha tabiî bir şey yoktur. Teşbih, eşyayı, olduğundan başka türlü görmek zorudur. Bunu yapan insan acaip karşılanmaz, kendine hiçbir gayri tabiîlik isnat edilmez. Halbuki teşbihle istiâreden kaçan, gördüğünü herkesin kullandığı kelimelerle anlatan adamı bugünün münevveri garip telâkki etmektedir. Hatâsı, muhtelif sapıtmalarla gelinmiş bir şiir anlayışını kendine çıkış noktası yapmasıdır. Yazının peyda olduğu günden beri yüz binlerce şair gelmiş, her biri binlerce teşbih yapmış. Hayran olduğumuz insanlar bunlara birkaç tane daha ilâve etmekle acaba edebiyata ne kazandıracaklar? Teşbih, istiâre, mübalâğa ve bunların bir araya gelmesinden meydana çıkacak bir hayal zenginliği, ümit ederim ki, tarihin aç gözünü artık doyurmuştur.

Edebiyat tarihinde pek çok şekil değişiklikleri olmuş, yeni şekil her defasında, küçük garipsemelerden sonra kolayca kabul edilmiştir. Güç kabul edilecek değişiklik, zevke ait olanıdır. Böyle değişmelerin pek seyrek vukua geldiğini; üstelik, bu suretle meydana çıkan edebiyatlarda da her şeye rağmen değişmeyen, yine devam eden, hepsinde müşterek olan bir taraf bulunduğunu görüyoruz. Bugüne kadar burjuvazinin malı olmaktan, yüksek sanayi devrinin başlamasından evvel de dinin ve feodal zümrenin köleliğini yapmaktan başka hiçbir işe yaramamış olan şiirde, bu değişmeyen taraf; *müreffeh sınıfların zevkine hitap etmiş olmak* şeklinde tecelli ediyor. Müreffeh sınıfları yaşamak için çalışmaya ihtiyacı olmayan insanlar teşkil ederler. O insanlar geçmiş devirlerin hâkimidirler. O sınıfı temsil etmiş olan şiir lâyık olduğundan daha büyük bir mükemmeliyete erişmiştir. Ama yeni şiirin istinat edeceği zevk, artık akalliyeti teşkil eden o sınıfın zevki değil. Bugünkü dünyayı dolduran insanlar yaşamak hakkını mütemadî bir didişmenin sonunda buluyorlar. Her şey gibi, şiir de onların hakkıdır, onların zevkine hitap edecektir. Bu, mevzuubahis kitlenin istediklerini eski edebiyatların âletleriyle anlatmıya çalışmak demek de değildir. Mesele bir sınıfın ihtiyaçlarının müdafaasını yapmak olmayıp sadece zevkini aramak, bulmak, san'ata onu hâkim kılmaktır.

Yeni bir zevke ancak yeni yollarla, yeni vasıtalarla varılır. Birtakım nazariyelerin söylediklerini bilinen kalıplar içine sıkıştırmakta hiçbir yeni, hiçbir san'atkârane hamle yoktur. Yapıyı temelinden değiştirmelidir. Biz senelerden beri zevkimize, irademize hükmetmiş, onları tâyin etmiş, onlara şekil vermiş edebiyatların, o sıkıcı, o bunaltıcı tesirinden kurtulabilmek için, o edebiyatların bize öğretmiş olduğu her şeyi atmak mecburiyetindeyiz. Mümkün olsa da "şiir yazarken bu kelimelerle düşünmek lâzımdır" diye yaratıcı faaliyetimizi tahdit eden lisanı bile atsak. Ancak bu suretledir ki, kendimizi alışkanlıkların sürüklediği gayri tabiî inhiraftan kurtarmış; safiyetimize, hakikatimize irca etmiş oluruz.

*

Tarihin beğenerek andığı insanlar daima dönüm noktalarında bulunanlardır. Onlar bir an'aneyi yıkıp yeni bir an'ane kurarlar. Daha doğrusu kurdukları şey içlerinden gelen yeni bir kayıtlar sistemidir. Ancak ileriki nesillere intikal ettikten sonra an'ane olur. Büyük san'atkâr nâmütenahi kayıtların içindedir. Fakat bu kayıtlar, hiçbir zaman, evvelkiler tarafından vazedilmiş değildir. O; kitapların öğrettiğinden daha fazlasını arayan, san'ata yeni kayıtlar sokmaya çalışan adamdır. 17 nci asır Fransız klasisizmi kaideci olmuş, fakat an'aneperest olmamıştır. Zira kaidelerini kendi getirmiştir. 18 inci asır yazıcıları daha çok an'aneperest oldukları halde san'atkârlıkları bakımından an'aneyi kuranlar seviyesine yükselememişlerdir. Çünkü kayıtları hissetmemişler, öğrenmişlerdir. Bir şeyin ya lüzumunu, yahut da lüzumsuzluğunu hissetmeli, fakat herhalde, hissetmelidir. Lüzumu hissedenler kurucular, lüzumsuzluğu hissedenler yıkıcılardır. Her ikisi de cemiyetlerin fikir hayatı için devam ettirici insanlardan daha faydalıdırlar. Bu çeşit insanlar belki her zaman muvaffak olamazlar. Yaptıkları işin tutunabilmesi, işin içtimaî bünyedeki tebeddüllerle olan münasebetine ve bu tebeddüllerin ehemmiyetine tâbidir. Ademimuvaffakiyetin sebeplerinden biri de yapmanın yapılması lâzım geleni bilmekten farklı oluşudur. Bir insan kurduğunu mükemmelleştiremeyebilir. Fakat kendisini hemen takip edecek olana kıymetli bir temel tevdi eder. Ya bir yol gösterir, yahut bir yolun yanlış olduğunu söyler. Bu insan bir davanın bayraktarı, sıra neferi veya fedaisi demektir. Bir fikir uğrunda fedai olmayı göze almış insan takdirle, minnetle karşılanmalıdır. Bununla beraber fedai olmayı göze almış insanın ne takdire ihtiyacı vardır, ne de teşvike. Çünkü bunlar ondaki emniyet hissine hiçbir şey ilâve etmiyecektir. En koyu irtica hareketlerinin, cesaretinden hiçbir şey eksiltemiyeceği gibi...

*

Ben, san'atlarda tedahüle taraftar değilim. Şiiri şiir, resmi resim, musikiyi musiki olarak kabul etmeli. Her san'atın kendine ait hususiyetleri, kendine ait ifade vasıtaları var. Meramı bu vasıtalarla anlatıp bu hususiyetlerin içinde kapalı kalmak hem san'atın hakikî kıymetlerine hürmetkâr olmak, hem de bir cehde, bir emeğe yer vermek demek değil mi? Güzel olanı temin edecek güçlük herhalde bu olmalı. Şiirde musiki, musikide resim, resimde edebiyat bu güçlüğü yenemiyen insanların başvurdukları birer hileden başka bir şey değil. Ayrıca bu san'atlar, öteki san'atların içine girince hakikî değerlerinden de birçok şeyler kaybediyorlar. Meselâ bir şiirde âhenktar birkaç kelimenin yanyana gelmesinden meydana çıkmış bir musikiyi, nağmelerindeki tenevvü ve akorlarındaki zenginlikle muazzam bir san'at olan sahici musiki yanında küçümsememeye imkân var mı? Mahreçleri aynı olan harflerin bir araya toplanmasiyle vücuda gelen "âhengi taklidi" de bu kadar basit, bu kadar âdi bir hile. Ben bu gibi hilelerden zevk duymanın, o âhengi şiirde hissetmekten gelen bir memnuniyet olduğuna kaniim. İnsan anlaşılmaz sandığı bir şeyi anladığı vakit memnun olur. Bu memnuniyeti, anlaşılmaz sanılan eserin muvaffakiyeti addetmek, insanın kendini muharrirle bir tutmak, yani kendi kendini beğenmek arzusundan başka bir şey değil. Bu itibarla halk tarafından sevilen eserler en kolay anlaşılanlar oluyor. Meselâ musiki zevkleri yeni teşekkül etmeye başlamış insanlar *Tchaikowski*'nin; mevzuu *Napoléon*'un Moskova seferinden alınmış, vak'aları, resim gibi, hikâye gibi tasvir edilmiş olan *1812 Uvertürü*'ünü hayranlıkla dinlerler. Yine onlar için *Saint-Saëns*'ın: ölülerin gece saat on ikiden sonra mezarlarından kalkıp raksedişlerini, sabahın oluşunu, horozların ötüşünü, iskeletlerin tekrar mezarlarına girişini anlatan *Danse Macabre*'ı ile *Borodin*'in: bir kervanın su ve çıngırak sesleri arasında ilerleyişini anlatan *Asya'nın Steplerinde* isimli eserleri en büyük musiki eserleridir. Bence, musiki gibi ifade vasıtası fevkalâde geniş bir san'atta tasvirle avlamak gibi basit bir hileye müracaat, bestekâr için göz yumulamıyacak derecede büyük bir kusur. Halkın, yukarıda da anlattığım cinsten bir infériorité kompleksine bağlı olan bu hissini, hiçbir büyük san'atkâr istismar etmemeli. San'atkâr, kendini verdiği san'atın hususiyetlerini keşfetmek, hünerini de bu hususiyetler üzerinde göstermek mecburiyetindedir. Şiir bütün hususiyeti edasında olan bir söz san'atıdır. Yani tamamiyle mânadan ibarettir. Mâna insanın beş duygusuna değil, kafasına hitabeder. Binaenaleyh doğrudan doğruya insan ruhiyatına hitabeden ve bütün kıymeti mânasında olan hakikî şiir unsurunun musiki gibi, bilmem ne gibi tâlî hokkabazlıklar yüzünden dikkatimizden kaçacağını da hatırdan çıkarmamalı. Tiyatro için çok daha lüzumlu olan dekora itiraz ediyorlar da, şiirdeki musikiye itiraz etmiyorlar.

Apollinaire, Calligrammes adlı kitabında, şiire bir başka san'at daha sokuyor: resim. Faraza bir yağmur şiirinin mısralarını sayfanın yukarı köşesinden aşağı köşesine doğru dizmiş. Yine aynı kitapta bir seyahat şiiri var; harfleriyle kelimelerinin sıralanışı gözümüzün önünde vagonlardan, telgraf direklerinden, aydan, yıldızlardan mürekkep bir tablo çiziyor. İtiraf etmek lâzım gelirse, bütün bunların bize bir yağmur havası bir seyahat havası verdiğini, yani *Apollinaire*'in başka bir sanata ait birtakım dalaverelerle bizi şiirin havasına soktuğunu söylemek icabeder.

Apollinaire, böyle bir hileye müracaat eden tek adam değildir. Resmi, şekil üzerinde şiire sokanlar çok. Meselâ Japon şairleri; çok kere, mevzularını, kamışlar, göller, mehtaplar, hasır yelkenli kayıklar ve çiçeklenmiş erik ağaçlarına benzeyen şekillerle anlatırlarmış. Haşim, alev kelimesinin eski harflerle yazılışında sahici alevi hatırlatan bir sihir bulurdu. Bu misalleri teker teker zikredişim şiirin musikiden olduğu gibi resimden de istifade edebileceğini anlatmak içindir.

Musikiden istifadeyi kabul eden şair neden resimden, hattâ daha ileri gidilirse, heykelden yahut mimariden de istifadeyi düşünmesin? Oysaki heykelden istifade, resmin bile hakkı değil. Resmi bir aralık hacimleştirmeye kalkmış olan *Picasso*, bugün herhalde bu hatâsını anlamıştır. Yalnız dikkat edilirse görülür ki, verdiğim misaller bizi şiire sokulan resmin sadece şekle ait tarafı üzerinde durdurmakta. Böyle bir şiir henüz mes'ele yapılacak kadar ehemmiyet ve taraftar kazanmamış. Halbuki, bir de resmi şiire mâna halinde sokan şairler, bu şairleri tutan büyük de kalabalıklar var. Onlar bütün meziyetleri tasvir olmaktan ibaret yazıları şiir addetmekte güçlük çekmiyorlar. Halbuki o yazıların şiirliğini kabul etmemek lâzım. Bu noktai nazarı müdafaa edenler, fazla ileriye gitmedikleri zaman, fikirleri akla yakınmış gibi görünür. Kendilerine hak vermek isteriz. Zannederiz ki, tasvir şiirin şartlarındandır, her şiir de az çok tasvirîdir. Bu yanlış düşünce şiirin ifade vasıtasının lisan oluşundan ileri geliyor. Lisanın cüzü'leri olan kelimeler ya doğrudan doğruya eşyanın, yahut da fikirlerimizin ifadeleridir. Mücerret fikirler tekemmül etmiş kafalara haricî âlemle alâkasızmış gibi görünür. Halbuki, insan denilen mahlûkun en mücerret fikirleri bile bir müşahhasla beraber düşünmek yani onu daima maddeye, daima eşyaya irca etmek temayülü vardır.

Böyle olunca kelimelerin yanyana gelmesile meydana çıkacak san'atın gözümüzün önüne tabiattan birçok şeyler getireceğini de tabiî karşılamalı. Fakat bu tabiî karşılama hiçbir zaman şiirin bütün servetinin bu kelimelerle hatırlanan bir dünyadan, bütün kıymetinin de bu dünyanın güzelliğinden ibaret olacağı neticesine varmamalı. Şiirde tasvir bulunabilir. Ama tasvir –hattâ san'atkârın tamamen kendine hâs görüş adesesinden dahi geçmiş olsa– şiirde esas unsur olmamalı. Şiiri şiir yapan, sadece, edasındaki hususiyettir; o da mânaya aittir.

Fransız şairi *Paul Eluard*'ın dediği gibi, "Bir gün gelecek, o; sadece kafa ile okunacak, edebiyat da böylece yeni bir hayata kavuşacak."

*

Edebiyat tarihinde her yeni cereyan şiire yeni bir hudut getirdi. Bu hududu âzamî derecede genişletmek, daha doğrusu, şiiri hudutttan kurtarmak bize nasiboldu.

Oktay Rifat, bir mektubunda, bu fikri mektep mefhumu üzerinde izaha çalışıyor. Diyor ki: "Mektep fikri; zaman içinde bir fasılayı, bir duruşu temsil ediyor. Sür'at ve harekete mugayir. Hayatın akışına uyan, *dialectique* zihniyete aykırı düşmiyen cereyan sadece mektepsizlik cereyanı."

Fakat hudutsuzluk yahut mektepsizlik vasfı şiirde tek başına, ayrı bir şekilde bulunabilir mi? Şüphesiz hayır. Bu vasfın insana birçok yeni sahalar keşfettireceğini, şiiri birçok ganimetlerle zenginleştireceğini tabiî addetmeli. Bizim, kendi hesabımıza, bu hudut genişletme işinde ele geçirdiğimiz ganimetlerin başlıcaları arasında, saflıkla basitlik var. Şiirlik güzeli bunlardan çıkarma arzusu, bizi şiirin en büyük hazinesi olan, insanı hayatının bütün safhalarında kurcalayan bir âlemle yakından temasa sevkediyor. Bu âlem de tahteşşuur. Tabiat, zekânın müdahalesi ile değiştirilmemiş halde, ancak burada bulunabiliyor. Keza insan ruhu burada bütün giriftliği, bütün kompleksleriyle, fakat ham ve iptidâi halde yaşıyor. İptidaîlikle basitliğin bir hususiyeti de bu giriftlik olsa gerek. Hislerin, yahut heyecanların, tecrit edilmişlerine ancak ruhiyat kitaplarında rastgeliriz. Bunun için faraza bir şehvet şiiri yazmıya çalışan şair, bir hasislik hissini anlatmak için sayfalar dolduran muharrir bizi hayatın olsun, şe'niyetlerin olsun, dışına sürüklüyorlar. Safiyetle basitliği çocukluk hâtıralarımızda aynı zenginlik, aynı giriftlik ve tecride karşı duyulan aynı düşmanlıkla buluyoruz. Allahın sakallı bir ihtiyar, cinlerin kırmızı cüceler, perilerin beyaz entarili kızlar şeklinde tasavvuru, bozulmamış çocuk kafasının mücerret fikre tahammülü olmadığını gösteriyor.

"Şiiri en saf, en basit halde bulmak için yapılan insan tahteşşuurunu karıştırma ameliyesi"nin *symboliste*'lerin kabul ettiği gibi içimizdeki birtakım gizli tellere dokunma, yahut *Valéry*'nin, yaratıcı faaliyeti izah eden, "gayri şuurda olma" nazariyeleriyle karıştırılmamasını isterim. Bu hususta bizim arzumuza en çok yaklaşan san'at cereyanı *surréalisme* cereyanıdır. Ruhî otomatizmi fikir sistemlerinin ve san'at anlayışlarının çıkış noktası yapan bu insanlar vezni ve kafiyeyi atmak mecburiyetinde kaldılar. Ruhî otomatizmle zekâ hokkabazlığının gayri kabili telif şeyler olduğunu gören insan için bu zaruret de âşikârdır. İkisinden birini tercih etmek lüzumunu vâzıh şekilde ortaya koyan ve *"bütün kıymeti mânasında olan şiir"* için bu küçük hokkabazlıkları fedadan çekinmiyen *surréaliste*'ler elbette takdire lâyık görülmeli.*

Kısmen haklı bulduğumuz otomatizm fikri, bizim memlekette, bu mektebin tam bir izahı diye kabul edilmiş. Halbuki bu, sadece bir çıkış noktası. Burada, bizim tarafı-

---

* Surréalizme'den birkaç defa böyle sevgi ile bahsetmemizden olsa gerek, ya surréalizme'i yahut da bizim şiirlerimizi okumamış bazı insanlar, hakkımızda yazılar yazarken, bizi bu isimle isimlendirdi. Halbuki surréalizme'le, burada bahsettiğim iştirâkler dışında hiçbir alâkamız olmadığı gibi herhangi bir edebî mektebe de bağlı değiliz.

mızdan olduğu gibi onlar tarafından da şiirin esas işçiliği diye kabul edilen "tahteşşuuru boşaltma" ameliyesinin daima bir cezbe haliyle müterafık olmadığını ilâve etmeliyim. Eğer böyle olsaydı herkes san'atkâr olurdu. Halbuki san'atkâr, elde edilmiş bir melekeyi rüya ve saire cinsinden haller dışında da kullanabilen adamdır. Kıymeti olsun, büyüklüğü olsun bu melekeyi kazanış ve kullanışındaki maharetle ölçülür. Mümareselerle elde edilmiş bir şuurun, insana, tahteşşuur dediğimiz kuyuyu kazabilecek kudreti getirdiğini *Freud*'ü çok iyi bilen bir doktor ve san'atı fikirleriyle başabaş bir şair olan *Breton* bundan senelerce evvel söylemiş.

Bu kudret acaba nedir? Ruhî hayatın yazılaşmış faaliyetlerinde şuurun kontrolü –az olsun, çok olsun– her zaman mevcuttur. Yani tabiî şartlar içinde tahteşşuuru yazı haline getirmemiz imkânsızdır. O halde imkânsız olan bu hâli melekeleştirmeye kalkmak büsbütün lüzumsuz bir gayret sayılmaz mı? Muhakkak ki, bu meleke tahteşşuuru boşaltmak melekesi değildir. Olsa olsa tahteşşuuru taklit etme melekesidir. Tahteşşuurda bulunan şeyler nasıl şeyler! Onu bir san'atkâr bir âlimden çok daha iyi, çok daha derin hisseder. Eseri de bu hissedişin taklidinden başka bir şey değildir. San'atkâr mükemmel bir taklitçidir.

Usta san'atkâr, taklitçi değilmiş gibi görünür. Çünkü taklit ettiği şey orijinaldir. 19 uncu asırda yaşamış realist muharririn anlattığı tabiat orijinal değildir; zekâ tarafından taklit edilmiştir. Onun için eser kopyenin kopyesidir. Basitlikle iptidaîlik, ikisi de, san'at eserine hakikî güzelliği getirirler. İyi bir san'atkâr onları çok güzel taklit eder. Bu işi yapan adama "basit adam, iptidaî adam" dememek lâzımdır. San'atın senelerce çilesini çekmiş, nâmütenahi merhalelerden geçmiş bir şairi günün birinde acemi bir eda ile karşınıza çıkmış görürseniz, birdenbire menfi hükümler vermeyiniz. Böyle bir şair "acemiliği taklit"te güzellik bulmuş olabilir. Bu takdirde o, acemiliğin ustası olmuş demektir.

Bütün bunlar gösteriyor ki san'at pek de öyle otomatizm işi falan değil, bir cehit, bir hüner işiymiş. Halbuki biraz evvel *surréaliste* şairlerden bahsederken "ruhî otomatizmi fikir sistemlerinin çıkış noktası yapan bu adamlar vezinle kafiyeyi atmak zorunda kaldılar" demiştim. Madem ki insan böyle bir otomatizme inanmıyor ve mademki bütün cehdin bir taklitten ibaret olduğunu meydana çıkartabiliyor, o halde vezinle kafiyeyi de kabul etsin. Vezinle kafiyenin ortadan kalkmasına sebep olan şey sadece otomatizm fikrine bağlanış olsaydı bu düşünce belki doğru olabilirdi. Halbuki vezinle kafiyeyi mühimsemeyişte başka sebepler de var. O sebepleri şimdilik mevzuun dışında sayıyorum.

"Vezinle kafiyenin ortadan kalkmasına sebep olan şey sadece otomatizm fikrine bağlanış olsaydı bu bağlanışın yersiz olduğu anlaşılınca vezinle kafiyenin de şiirdeki mevkiini alması icabederdi" dedim. Halbuki etmezdi. Çünkü *surréaliste* şairler şiire taklit yolu ile sokacakları tahteşşuuru hakikatmiş gibi göstermek istiyeceklerdi. İşte bu yüzden vezinle kafiyeyi kullanmak mecburiyetinde idiler. Çünkü onlar taklit edilecek şeyi bilmenin kâfi olmadığını, taklitte de usta olmak lazım geldiğini idrâk etmiş insanlardı. Eğer böyle olmasaydı biz onların samimiyetlerine inanmıyacaktık. San'atkâr bizi, söylediklerinin samimî olduğuna da inandırmalı.

*

Şiirde hücum edilmesi lâzım geldiğine inandığım zihniyetlerden biri de mısracı zihniyettir. Bir şiirde bir tek berceste mısraın kifayetine itikat şeklinde tezahür eden ve ilk bakışta insana basit görünen bu zihniyeti, şiirin kötü bir hususiyetine bağlanışın gizli bir ifadesi olduğu için mühim buluyorum. Şiirde bir "bütün"ün lüzumuna inananlar bile mısralar arasında birtakım aralıklar kabul eder, bu aralıkları birbirine rapteden mânâ yakınlıklarını şiirdeki örülüşün mükemmeliyeti için kâfi sayarlar. Bu telâkki belki de hücum edilmeye değecek kadar sakat bir telâkki değildir. Fakat insanı şimdi bahsedeceğim hususiyete ve o hususiyetten zevk alma tehlikesine götürdüğü için buna da meydan vermemek lâzımdır. Şiir öyle bir bütündür ki, bütünlüğünün farkında bile olunmaz.

Sıvanmış, boyanmış bir binanın tuğlaları arasındaki

harcı göremeyiz. Bina tamamiyetini ancak bu harçla temin etti-ği zamandır ki, onu teşkil eden tuğlaları teker teker görmek, onların vasıfları üzerinde düşünmek fırsatını elde ederiz. Mısracı zihniyet, bize, mısraların olduğu gibi, onun parçaları olan kelimelerin de tetkiki, tahlili imkânını verir. Kelime üzerinde düşünmek, onun güzelliğini, yahut çirkinliğini tesbite çalışmak; şiire, kelime halinde, mücerret bir "şiir unsuru" telâkkisi getirmiştir. Yüz kelimelik bir şiirde yüz tane güzellik arayan insan vardır. Halbuki bin kelimelik bir şiir bile bir tek güzellik için yazılır. Tuğla güzel değildir. Sıva güzel değildir. Fakat bunlardan terekküp eden bir mimari eseri güzeldir. Buna mukabil agat, helyotrop, gümüş gibi maddelerden bir bina yapılabileceğini farzedelim. Eğer bu bina, maddelerin taşıdığı güzellik dışında bir güzelliğe malik değilse san'at eseri sayılmaz. Görülüyor ki haddizatında güzel olan kelimenin şiire malzemelik etmesi şiir için bir kazanç değil. Eğer söyleniş tarzlarını, kullanılış şekillerini de beraber getirmiş olmasalardı, bu kelimelerin şiire bir zararı da olmazdı. Fakat ne yazık ki o kelimeler ancak muayyen şekillerde söylenebiliyor. Yani, kendi edalarını kendileri tâyin ediyorlar. İşte eski şiirin yukarıda bahsettiğin hususiyeti bu edadır, ismi de "şairâne"dir.

Bu edaya bizi kelimeler getirmiş. Fakat şiir zevkini, şiir telâkkisini bugünkü cemiyetten alan insan çok kere aksi cihetten hareket etmekte, yâni o kelimelerden evvel şairâneyi tanımaktadır. Bu edayı getirebilecek kelimelerden müteşekkil lûgat; yazarken şairâne olmak isteyen, okurken de şairâneyi arayan insanın kafasında zaruri olarak meydana gelir. O lûgatin çerçevesinden kurtulmadıkça şairâneden kurtulmaya da imkân yok. Şiire yeni bir dil getirme cehdi işte böyle bir kurtulma arzusundan doğuyor. "Nasır" ve "Süleyman Efendi" kelimelerinin şiire sokulmasını hazmedemiyenlerse şairâneye tahammül edebilenler, hattâ onu arayanlar, hem de bilhassa arayanlardır.

Halbuki "eskiye ait olan her şeyin, her şeyden evvel de şairânenin aleyhinde bulunmak lâzım."

Netice

Gemliğe doğru
Denizi göreceksin;
Sakın şaşırma.

(*İnkilâpçı Gençlik*, 17.10.1942)

ROBENSON

Haminnemdir en sevgilisi
Çocukluk arkadaşlarımın
Zavallı Robenson'u ıssız adadan
Kurtarmak için çareler düşündüğümüz
Ve birlikte ağladığımız günden beri
Biçare Güliver'in
Devler memleketinde
Çektiklerine.

Kasım 1937

(*Varlık*, 15.12.1937)

RÜYA

Annemi ölmüş gördüm rüyamda.
Ağlayarak uyanışım
Hatırlattı bana, bir bayram sabahı
Gökyüzüne kaçırdığım balonuma bakıp
Ağlayışımı.

1938

(İnsan, 1.10.1938)

İNSANLAR

Ne kadar severim o insanları!
O insanları ki, renkli, silik
Dünyasında çıkartmaların
Tavuklar, tavşanlar ve köpeklerle beraber
Yaşayan insanlara benzer.

Ankara, Ağustos 1937

(*Varlık*, 15.9.1937)

BAYRAM

Kargalar, sakın anneme söylemeyin!
Bugün toplar atılırken evden kaçıp
Harbiye Nezaretine gideceğim.
Söylemezseniz size macun alırım,
Simit alırım, horoz şekeri alırım;
Sizi kayık salıncağına bindiririm kargalar,
Bütün zıpzıplarımı size veririm.
Kargalar, ne olur anneme söylemeyin!

Kasım 1938

(*Varlık*, 15.3.1940)

HİCRET

I

Damlara bakan penceresinden
Liman görünürdü
Ve kilise çanları
Durmadan çalardı, bütün gün.
Tren sesi duyulurdu yatağından
Arada bir
Ve geceleri.
Bir de kız sevmeye başlamıştı
Karşı apartımanda.
Böyle olduğu halde
Bu şehri bırakıp
Başka şehre gitti.

İstanbul, Kasım 1937

(*Varlık*, 15.12.1937)

HİCRET

II

Şimdi kavak ağaçları görünüyor,
Penceresinden,
Kanal boyunca.
Gündüzleri yağmur yağıyor;
Ay doğuyor geceleri
Ve pazar kuruluyor, karşı meydanda.
Onunsa daima;
Yol mu, para mı, mektup mu;
Bir düşündüğü var.

Kasım 1938

(*Garip I*, 1941)

SOL ELİM

Sarhoş oldum da
Seni hatırladım yine;
Sol elim,
Acemi elim,
Zavallı elim!

GÖLGEM

Bıktım usandım sürüklemekten onu,
Senelerdir, ayaklarımın ucunda;
Bu dünyada biraz da yaşayalım,
O tek başına,
Ben tek başıma.

Ankara, Eylül 1937

(*Varlık*, 15.12.1937)

GÖZLERİM

Gözlerim,
Gözlerim nerde?

Şeytan aldı, götürdü;
Satamadan getirdi.

Gözlerim,
Gözlerim nerde?

İstanbul, Ekim 1937

(Garip I, 1941)

DAĞ BAŞI

Dağ başındasın;
Derdin günün hasretlik;
Akşam olmuş,
Güneş batmış,
İçmeyip de ne haltedeceksin?

(*İnkılâpçı Gençlik*, 1.8.1942)

ŞOFÖRÜN KARISI

Şoförün karısı, kıyma bana;
El etme öyle pencereden,
Soyunup dökünüp;
Senin, eniştende gözün var;
Benimse gençliğim var;
Mapuslarda çürüyemem;
Başımı belâya sokma benim;
Kıyma bana.

(İşte, 15.6.1944)

DEDİKODU

Kim söylemiş beni
Süheylâ'ya vurulmuşum diye?
Kim görmüş, ama kim,
Eleni'yi öptüğümü,
Yüksekkaldırımda, güpegündüz?
Melâhat'i almışım da sonra
Alemdara gitmişim, öyle mi?
Onu sonra anlatırım, fakat
Kimin bacağını sıkmışım tramvayda?
Gûya bir de Galataya dadanmışız;
Kafaları çekip çekip
Orada alıyormuşuz soluğu;
Geç bunları, anam babam, geç;
Geç bunları bir kalem;
Bilirim ben yaptığımı.

Ya o, Muallâ'yı sandala atıp,
*Ruhumda hicranın'*ı söyletme hikâyesi?

KİTABE-İ SENG-İ MEZAR

I

Hiçbir şeyden çekmedi dünyada
Nasırdan çektiği kadar;
Hattâ çirkin yaratıldığından bile
O kadar müteessir değildi;
Kundurası vurmadığı zamanlarda
Anmazdı ama Allahın adını,
Günahkâr da sayılmazdı.
Yazık oldu *Süleyman Efendi'ye*

Ankara, Nisan 1938

(*İnsan*, 1.10.1938)

KİTABE-İ SENG-İ MEZAR

II

Mesele falan değildi öyle,
To be or not to be kendisi için;
Bir akşam uyudu;
Uyanmayıverdi.
Aldılar, götürdüler.
Yıkandı, namazı kılındı, gömüldü.
Duyarlarsa öldüğünü alacaklılar
Haklarını helâl ederler elbet.
Alacağına gelince...
Alacağı yoktu zaten rahmetlinin.

Ocak 1940

(*Varlık*, 15.3.1940)

KİTABE-İ SENG-İ MEZAR

III

Tüfeğini deppoya koydular,
Esvabını başkasına verdiler.
Artık ne torbasında ekmek kırıntısı,
Ne matrasında dudaklarının izi;
Öyle bir rûzigâr ki,
Kendi gitti,
İsmi bile kalmadı yadigâr.
Yalnız şu beyit kaldı,
Kahve ocağında, el yazısiyle:
"Ölüm Allahın emri,
"Ayrılık olmasaydı."

Eylül 1941

(*İnsan*, 1.8.1943)

DERDİM BAŞKA

Sanma ki derdim güneşten ötürü;
Ne çıkar bahar geldiyse?
Bademler çiçek açtıysa?
Ucunda ölüm yok ya.
Hoş, olsa da korkacak mıyım zaten
Güneşle gelecek ölümden?
Ben ki her nisan bir yaş daha genç,
Her bahar biraz daha âşığım;
Korkar mıyım?
Ah, dostum, derdim başka...

?

Neden liman diyince
Hatırıma direkler gelir
Ve açık deniz diyince yelken?

Mart diyince kedi,
Hak diyince işçi
Ve neden ihtiyar değirmenci
Allaha inanır düşünmeden?

Ve rüzgârlı havalarda
Yağmur iğri yağar?

Ankara, Mart 1938

(*İnsan*, 1.10.1938)

HARBE GİDEN

Harbe giden sarı saçlı çocuk!
Gene böyle güzel dön;
Dudaklarında deniz kokusu,
Kirpiklerinde tuz;
Harbe giden sarı saçlı çocuk!

Mayıs 1940

(*Garip I*, 1941)

BAŞ AĞRISI

I

Yollar ne kadar güzel olsa,
Gece ne kadar serin olsa,
Beden yorulur,
Baş ağrısı yorulmaz.

II

Şimdi evime girsem bile
Biraz sonra çıkabilirim
Mademki bu esvaplarla ayakkaplar benim
Ve mademki sokaklar kimsenin değil.

Ankara, Nisan 1938

(*İnsan*, 1.10.1938)

SABAHA KADAR

Şu şairler sevgililerden beter;
Nedir bu adamlardan çektiğim?
Olur mu böyle, bütün bir geceyi
Bir mısraın mahremiyetinde geçirmek?

Dinle bakalım, işitebilir misin
Türküsünü damların, bacaların
Yahut da karıncaların buğday taşıdıklarını
Yuvalarına?

Beklemesem olmaz mı güneşin doğmasını
Kullanılmış kafiyeleri yollamak için,
Kapıma gelecek çöpçülerle,
Deniz kenarına?

Şeytan diyor ki: "Aç pencereyi;
"Bağır, bağır, bağır; sabaha kadar."

Nisan 1939

(*Varlık*, 15.3.1940)

İSTANBUL İÇİN

Nisan

İmkânsız şey
Şiir yazmak,
Âşıksan eğer;
Ve yazmamak,
Aylardan nisansa.

Arzular ve Hâtıralar

Arzular başka şey,
Hâtıralar başka.
Güneşi görmeyen şehirde,
Söyle, nasıl yaşanır?

Böcekler

Düşünme,
Arzu et sade!
Bak, böcekler de öyle yapıyor.

Dâvet

Bekliyorum
Öyle bir havada gel ki,
Vazgeçmek mümkün olmasın.

Nisan 1940

(*Garip I*, 1941)

NE KADAR GÜZEL

Çayın rengi ne kadar güzel,
Sabah sabah,
Açık havada!
Hava ne kadar güzel!
Oğlan çocuk ne kadar güzel!
Çay ne kadar güzel!

(Garip I, 1941)

SEVDAYA MI TUTULDUM?

Benim de mi düşüncelerim olacaktı,
Ben de mi böyle uykusuz kalacaktım,
Sessiz, sedasız mı olacaktım böyle?
Çok sevdiğim salatayı bile
Aramaz mı olacaktım?
Ben böyle mi olacaktım?

Nisan 1939

(*Varlık*, 15.3.1940)

GEMİLERİM

Elifbamın yapraklarında
Gemilerim, yelkenli gemilerim.
Giderler yamyamların memleketlerine
Gemilerim, yan yata yata;
Gemilerim, kurşunkalemiyle çizilmiş;
Gemilerim, kırmızı bayraklı.
Elifbamın yapraklarında
Kız Kulesi,
Gemilerim.

Kasım 1938

(*Varlık*, 15.3.1940)

GÜZEL HAVALAR

Beni bu güzel havalar mahvetti,
Böyle havada istifa ettim
Evkaftaki memuriyetimden.
Tütüne böyle havada alıştım,
Böyle havada âşık oldum;
Eve ekmekle tuz götürmeyi
Böyle havalarda unuttum;
Şiir yazma hastalığım
Hep böyle havalarda nüksetti;
Beni bu güzel havalar mahvetti.

Nisan 1940

(*Garip I*, 1941)

KARMAKARIŞIK

Bir okla yaralı kalbim,
Boyacının sandığında;
Güvercinim kâğıt helvasında;
Sevgilim kayığın burnunda;
Yarısı balık,
Yarısı insan;
İn miyim?
Cin miyim?
Ben neyim?

ILLUSION

Eski bir sevdadan kurtulmuşum;
Artık bütün kadınlar güzel;
Gömleğim yeni,
Yıkanmışım,
Tıraş olmuşum;
Sulh olmuş.
Bahar gelmiş.
Güneş açmış.
Sokağa çıkmışım, insanlar rahat;
Ben de rahatım.

Mart 1940

(*Ses*, 1.4.1940)

ANLATAMIYORUM

(moro romantico)

Ağlasam sesimi duyar mısınız,
Mısralarımda;
Dokunabilir misiniz,
Gözyaşlarıma, ellerinizle?

Bilmezdim şarkıların bu kadar güzel,
Kelimelerinse kifayetsiz olduğunu
Bu derde düşmeden önce.

Bir yer var, biliyorum;
Her şeyi söylemek mümkün;
Epiyce yaklaşmışım, duyuyorum;
Anlatamıyorum.

Nisan 1940

(Garip I, 1941)

KIZILCIK

İlk yemişini bu sene verdi,
Kızılcık,
Üç tane;
Bir daha seneye beş tane verir;
Ömür çok,
Bekleriz;
Ne çıkar?

İlâhi kızılcık!

Nisan 1940

ESKİ KARIM

Nedendir, biliyor musun;
Her gece rüyama girişin,
Her gece şeytana uyuşum,
Bembeyaz çarşafların üstünde;
Nedendir, biliyor musun?
Seni hâlâ seviyorum, eski karım.

Ama ne kadınsın, biliyor musun!

KUŞLAR YALAN SÖYLER

İnanma, ceketim, inanma
Kuşların söylediklerine;
Benim mahrem-i esrarım sensin.

İnanma, kuşlar bu yalanı
Her bahar söyler.
İnanma, ceketim, inanma!

Nisan 1940

(*Garip I*, 1941)

FESTİVAL

Ekmek karnesi tamam ya,
Kömür beyannamesi de verilmiş;
Düşünme artık parasızlığı;
Düşünme yapacağın yapıyı;
El tutar, ömür yeter;
Yarına Allah kerîm;
Dayan hovarda gönlüm!

KASİDE

Elinde Bursa çakısı,
Boynunda kırmızı yazma;
Değnek soyarsın akşamlara kadar,
Filya tarlasında.

Ben sana hayran,
Sen cama tırman.

Eylül 1940

(*Garip I*, 1941)

EFKÂRLANIRIM

Mektup alır, efkârlanırım;
Rakı içer, efkârlanırım;
Yola çıkar, efkârlanırım.
Ne olacak bunun sonu, bilmem.
"Kâzım'ım" türküsünü söylerler,
Üsküdar'da;
Efkârlanırım.

Eylül 1940

(*Garip I*, 1941)

SÖZ

Aynada başka güzelsin,
Yatakta başka;
Aldırma söz olur diye;
Tak takıştır,
Sür sürüştür;
İnadına gel,
Piyasa vakti,
Mahallebiciye.

Söz olurmuş,
Olsun;
Dostum değil misin?

Şubat 1941

(*Garip I*, 1941)

Orhan Veli

Vazgeçemediğim

MCMXLV

Birinci basım 1945, kapak resmi Fahrünnisa Zeyd

VAZGEÇEMEDİĞİM

Deli eder insanı bu dünya;
Bu gece, bu yıldızlar, bu koku,
Bu tepeden tırnağa çiçek açmış ağaç

BİR ROMAN KAHRAMANI

Çadırımın üstüne yağmur yağıyor,
Saros körfezinden rüzgâr esiyordu,
Ve ben, bir roman kahramanı,
Ot yatağın içinde,
İkinci dünya harbinde,
Başucumda zeytinyağı yakarak
Mevzuumu yaşamaya çalışıyordum;
Bir şehirde başlayıp
Kim bilir nerde,
Kim bilir ne gün bitecek mevzuumu.

(*Ülkü*, 1.1.1945)

SAKAL

Hanginiz bilir, benim kadar,
Karpuzdan fener yapmasını;
Sedefli hançerle, üstüne,
Gülcemal resmi çizmesini;
Beyit düzmesini;
Mektup yazmasını;
Yatmasını,
Kalkmasını;
Bunca yılın Halime'sini
Hanginiz bilir, benim kadar,
Memnun etmesini?

Değirmende ağartmadık biz bu sakalı!

Temmuz 1941

(*İnkilâpçı Gençlik*, 18.7.1942)

YOLCULUK

Rıfkı Melûl Meriç'e

Ne var ki yolculukta,
Her sefer ağlatır beni,
Ben ki yalnızım bu dünyada?
Bir sabah kızıllığında
Yola çıkarım Uzunköprü'den;
Yaylının atları şıngır mıngır;
Arabacım on dört yaşında,
Dizi dizime değer bir tazenin,
Çarşaflı, ama hafifmeşrep;
Gönlüm şen olmalı değil mi?
Nerdee!...
Söyleyin, ne var bu yolculukta?

ISTANBUL TÜRKÜSÜ

Istanbul'da, Boğaziçi'nde,
Bir fakir Orhan Veli'yim;
Veli'nin oğluyum,
Târifsiz kederler içinde.

Urumelihisarı'na oturmuşum;
Oturmuş da bir türkü tutturmuşum:

"Istanbulun mermer taşları;
Başıma da konuyor, konuyor aman, martı kuşları;
Gözlerimden boşanır hicran yaşları;
                    Edalı'm,
                    Senin yüzünden bu hâlim."

"Istanbul'un orta yeri sinama;
Garipliğim, mahzunluğum duyurmayın anama;
El konuşur, sevişirmiş; bana ne?
                    Sevdalı'm,
                    Boynuna vebâlim!"

Istanbul'da, Boğaziçi'ndeyim;
Bir fakir Orhan Veli;
Veli'nin oğlu;
Târifsiz kederler içindeyim.

(*Ülkü*, 1.2.1945)

TREN SESİ

Garîbim;
Ne bir güzel var avutacak gönlümü,
Bu şehirde,
Ne de bir tanıdık çehre;
Bir tren sesi duymayagöreyim,
İki gözüm,
İki çeşme.

DEĞİL

Bilmem ki nasıl anlatsam;
Nasıl, nasıl, size derdimi!
Bir dert ki yürekler acısı,
Bir dert ki düşman başına.
Gönül yarası desem...
Değil!
Ekmek parası desem...
Değil!
Bir dert ki...

Dayanılır şey değil.

GİDERAYAK

Handan, hamamdan geçtik,
Gün ışığındaki hissemize razıydık;
Saadetinden geçtik,
Ümidine razıydık;
Hiçbirini bulamadık;
Kendimize hüzünler icadettik,
Avunamadık;
Yoksa biz...
Biz bu dünyadan değil miydik?

(*Ülkü*, 1.1.1945)

KEŞAN

21.8.1942,
Cumhuriyet Hanı'nda;
Ne güzel bir geceydi!
Sabaha karşı yağmur yağdı.

Güneş doğdu, ufuk kana boyandı;
Çorbam geldi, sıcak sıcak;
Kamyon geldi kapımıza dayandı.

Karnım tok,
Sırtım pek;
Ver elini Edirne şehri.

MİSAFİR

Dün fena sıkıldım akşama kadar;
İki paket cigara bana mısın demedi;
Yazı yazacak oldum, sarmadı;
Keman çaldım ömrümde ilk defa;
Dolaştım,
Tavla oynayanları seyrettim,
Bir şarkıyı başka makamla söyledim;
Sinek tuttum, bir kibrit kutusu;
Allah kahretsin, en sonunda,
Kalktım, buraya geldim.

ESKİLER ALIYORUM

Eskiler alıyorum
Alıp yıldız yapıyorum
Musikî ruhun gıdasıdır
Musikîye bayılıyorum

Şiir yazıyorum
Şiir yazıp eskiler alıyorum
Eskiler verip Musikîler alıyorum

Bir de rakı şişesinde balık olsam

ORHAN VELİ

DESTAN GİBİ

Birinci basım 1946, kapak resmi Bedri Rahmi Eyuboğlu

Birinci Basım: 1946

DESTAN GİBİ
(YOL TÜRKÜLERİ)

YOL TÜRKÜLERİ

"Hereke'den çıktım yola,
Selâm verdim sağa sola,
Haydi, benim bu dünyaya garip gelmiş şairim,
Yolun açık ola!"

İzmit sokakları yaprak içindeydi;
Başımda, unutamadığım şehrin havası;
Dilimde hep oraların şarkıları;
Ellerim ceplerimde,
Bir aşağı, bir yukarı.
Sonbahar;
İzmit sokakları yaprak içindeydi.

"İzmit'in köprüsü betondur beton,
Nasıl kadrin bilmez yanında yatan,
Sensin gece gündüz gözümde tüten.
        Yüreğim yanıktır, ciğerim delik,
        Of of, kemirir bağrımı of, ince hastalık."

Arifiye!
Şoför durdu, Enistütü Mektebi, dedi.
Süleyman Edip bey müdürün adı.
Bir yol da burada duralım;
Ellerinde nasır, yüzlerinde nur,
Yarına ümitle yürüyenlere
Bir selâm uçuralım.

"Ada yolu kestane
Aman dökülür tane tane."

Ada demek, Adapazarı demek;
Kadehler şişe olur Çark'ın başında;
Zaten efkârlısın,
Ayağını denk al, şekerim.

"Hükümat önünden geçtim,
Oturdum bir kahve içtim,
Hendek'te bir güzel gördüm,
Yavuklumdan vazgeçtim;
             Hendeğin yolları taştan,
             Sen çıkardın beni baştan."

Sabahları erken kalkılıyor yolculukta;
Doğan güneşe karşı,
Dertler biraz daha unutulmuş,
Gurbete biraz daha alışılmış,
Yapılacak işler düşünülüyor.

"Düzce yolu düz gider,
Aman bir edalı kız gider."

Düzce'deyimYeşil Yurt otelinde.
Otelin önü çarşı,
Salepçiler salep satar otele karşı.

. Yine dertli geçirdim geceyi,
Şarkılar, türkülerle :

"Evlerinin yüzü aşı boyası,
İnsaf bilmez yüreğine acı değesi,
Duyduğumdan beterini duyası."

                                    ./..

Alışamıyacak mıyım,
Unutamıyacak mıyım?
Güneşten sonra yattım,
Güneşten önce kalktım;
Pencereden dışarıya şöyle bir baktım:
Ufuk, yeşil yeşil, ağarıyordu.
Sevgilim, dedim,
Dördüncü uykudadır şimdi;
Galata Köprüsü açılmak üzeredir;
Kül rengi sulara
Kirli bir gün ışığı dökülecektir.
Çatanalar, mavnalar, kayıklar,
Limanda sıra bekliyen gemilerin arasında
İnsanlar hayat mücadelesinde;
Adamlar, kadınlar, çocuklar;
Ellerinde yemek çıkınları,
Rejiye giden işçi kızlar.

"Benden selâm olsun Bolu Beyi'ne,
Çıkıp şu dağlara yaslanmalıdır;
Ok gıcırtısından, kalkan sesinden,
Dağlar seda verip seslenmelidir. "

Hey, hey!
Hey dağlar, hey dağlar, Bolu'nun dağları, hey!
Savulun geliyorum, hey Bolu beyleri!
Böyle olur yüksek yerin rüzgârı;
Böylesine söyletir insanı.

Yokuş çıkar, döne döne;
Yokuştan bir Döne çıkar;
İsa Balı'nın ardından
Hanoğlu Kocabey çıkar;
Ayvaz çıkar, Hoylu çıkar;
Bir yardan Köroğlu çıkar:
"Hemen Mevlâ ile sana dayandım,
"Arkam sensin, kalem sensin, dağlar hey!"

Kır At'a nal mı dayanır?
Dağlar uykudan uyanır,
Yer gök kızıla boyanır.
Bu dağlardan geçmedinse,
Bu sulardan içmedinse,
Yaşadım deme be, ahbap.
El dayanmaz, diş dayanmaz pınar başlarında
Kavaklar yatar, boylu boyunca.
Ovaya kereste indiren arabalardan
Ses gelir, inceden ince:

"Arabalar yük indirir ovaya,
Arabacı değnek vurur düveye,
Başın döner, bakamazsın havaya."

Arabacı nasıl kıyar düvesine?
Varı yoğu bir çift öküzü,
Gelinlik bir kızı,
Üç tane kuzu;
Her şey ateş pahasına.

Korozman yaptık yolda posta ile.
Canım posta, gülüm posta,
Selâm götür eşe dosta.

Şehirliden vilâyete ilâm verilmiş,
Belediye meydanına radyo kurulmuş;
Verdiğimiz haberlerin özeti...
Falan filân;
Bir teneke benzin aldık karaborsadan,
"Dayan!" dedik.

Gerede'nin yolu,
Reşadiye gölü.
Bir göl ki...
İnsanın şair olup şiir söyliyeceği geliyor.

                                                    ./..

"Akşam oldu yine bastı kareler."
Oturdum sırtın üstüne.
Geçmiş günleri düşündüm.
Askerdim, Adilhan köyündeydim;
Böyle bir akşamdı yine;
İçimde yine İstanbul hasreti,
Dalmış düşünmüştüm:

"Bu dağlar Koru dağları değil,
Bu köy Adilhan köyü değil;
Ne şu değirmen Ferhat ağanın,
Ne de bu türkü hazin;
Ne açım, ne susuz,
Ne de gurbet elde yalnız.
Hele güneş bir çekilsin,

Gideceğim bir ahçı dükkânına
Bu akşam da orada içeceğim;
Hele şu Haliç vapuru
İskeleye yanaşsın,
Yolcular çıksın hele;
En güzel saati şimdi Eyüp'ün."

Haydi yavrum, yolcu yolunda gerek.

Nihayet göründü Ibrıcık köyü.
– Selâmün aleyküm kahveci dayı!
– Aleyküm selâm, evlât,
Bir hastamız var, makine bekliyor.
Bir hastaları varmış, makine bekliyor.
Gübre kokuyor kahvenin peykeleri.
Herkesin derdi başka;
Memleket, hemşeri?
Sinop.

"Uy neyimiş neyimiş, aman aman,
Kaderim böyle imiş,
Yâr üstüne yâr sevmek, aman aman,
Ateşten gömleğimiş."

"Gerede'ye vardık, günlerden pazar
Kaldırımlarında yosmalar gezer;
Bilmem, bu gurbetlik ne kadar uzar.
      Yüreğim yanıktır, ciğerim delik,
      Of of, kemirir bağrımı of, ince hastalık."

Zonguldak yolundayız.
Dağların tepesinden,
Birdenbire denizi göreceğiz.
Denizi gökle bir göreceğiz.
Şimal rüzgârları gelecek uzaktan.
O yolcu, biz yolcu,
Şimal rüzgâriyle öpüşeceğiz.
Güneşli bir günde,
Masmavi göreceğiz Karadeniz'i.
Balkaya'dan Kapuz'a kadar,
Karış karış biliriz biz bu şehri;
Eki'nin çiçekli bahçeleri
Rıhtıma kömür taşıyan vagonlariyle;
Paydos saatlerinde yollara dökülen
Soluk benizli insanlariyle.

....

"Siyah akar Zonguldağın deresi;
Yüz karası değil, kömür karası;
Böyle kazanılır ekmek parası."

Gemiler vardı limanda gemiler
Her biri yeni bir ufka gider.

1945

ORHAN VELİ

YENİSİ

MCMXLVII

Birinci basım 1947, kapak resmi Bedri Rahmi Eyuboğlu

YENİSİ

Birinci Basım: 1947

TAHATTUR

Alnımdaki bıçak yarası
Senin yüzünden;
Tabakam senin yadigârın;
"İki elin kanda olsa gel" diyor
Telgrafın;
Nasıl unuturum seni ben,
Vesikalı yârim?

Temmuz 1940

(*Külliik*, 1.9.1940)

ALTIN DİŞLİM

Gel benim canınım içi, gel yanıma;
İpek çoraplar alayım sana;
Taksilere bindireyim,
Çalgılara götüreyim seni.
Gel,
Gel benim altın dişlim;
Sürmelim, ondüle saçlım, yosmam;
Mantar topuklum, bopsitilim, gel.

BİR İŞ VAR

Her gün bu kadar güzel mi bu deniz?
Böyle mi görünür gökyüzü her zaman?
Her zaman güzel mi bu kadar,
Bu eşya, bu pencere?
Değil,
Vallahi değil;
Bir iş var bu işin içinde.

ŞANOLU ŞİİR

Kadehlerin biri gelir, biri gider;
Mezeler çeşit çeşit;
Bir sevdiğim şanoda şarkı söyler;
Biri yanıbaşımda;
İçer içer, ötekini kıskanır.
Kıskanma, güzelim, kıskanma;
Senin yerin başka,
Onun yeri başka.

İÇİNDE

Denizlerimiz var, güneş içinde;
Ağaçlarımız var, yaprak içinde;
Sabah akşam gider gider geliriz,
Denizlerimizle ağaçlarımız arasında,
Yokluk içinde.

CIMBIZLI ŞİİR

Ne atom bombası,
Ne Londra Konferansı;
Bir elinde cımbız,
Bir elinde ayna;
Umurunda mı dünya!

KUMRULU ŞİİR

Duyduğum yoktu ne vakittir
Güvercin sesi, kumru sesi, pencerede;
İçime gene
Yolculuk mu düştü, nedir?
Nedir bu yosun kokusu,
Martıların gürültüsü havalarda;
Nedir?
Yolculuk olmalı, yolculuk.

(*Varlık*, 1.1.1947)

AH! NEYDİ BENİM GENÇLİĞİM!

Nerde böyle hüzünlenmek o zaman;
İçip içip ağlamak,
Uzaklara dalıp şarkı söylemek;
Hafta sekiz ben eğlentide;
Bugün saz, yarın sinema,
Beğenmedin Aile Bahçesi;
Onu da beğenmedin, parka;
Sevdiğim dillere destan;
Sevdiğim,
Meyil verdiğim;
Ben dizinin dibinde elpençe divan,
Samanlık seyran.
Nerde,
Nerde,
Nerde böyle hüzünlenmek o zaman!

(1.2.1947)

DENİZİ ÖZLİYENLER İÇİN

Gemiler geçer rüyalarımda,
Allı pullu gemiler, damların üzerinden;
Ben zavallı,
Ben yıllardır denize hasret,
"Bakar bakar ağlarım".

Hatırlarım ilk görüşümü dünyayı,
Bir midye kabuğunun aralığından:
Suların yeşili, göklerin mavisi,
Lâpinaların en hârelisi...
Hâlâ tuzlu akar kanım
İstiridyelerin kestiği yerden.

Neydi o deli gibi gidişimiz,
Bembeyaz köpüklerle, açıklara!
Köpükler ki fena kalpli değil,
Köpükler ki dudaklara benzer;
Köpükler ki insanlarla
Zinaları ayıp değil.

Gemiler geçer rüyalarımda,
Allı pullu gemiler, damların üzerinden;
Ben zavallı,
Ben yıllardır denize hasret.

(*Aile*, Nisan 1947)

KAPALI ÇARŞI

Giyilmemiş çamaşırlar nasıl kokar bilirsin,
Sandık odalarında;
Senin de dükkânın öyle kokar işte.
Ablamı tanımazsın,
Hürriyette gelin olacaktı, yaşasaydı;
Bu teller onun telleri,
Bu duvak onun duvağı işte.
Ya bu camlardaki kadınlar?
Bu mavi mavi,
Bu yeşil yeşil fistanlı...
Geceleri de ayakta mı dururlar böyle?
Ya şu pembezar gömlek?
Onun da bir hikâyesi yok mu?
Kapalı Çarşı diyip te geçme;
Kapalı Çarşı,
Kapalı kutu.

(*Varlık*, 1.3.1947)

ÖLÜME YAKIN

Akşamüstüne doğru, kış vakti;
Bir hasta odasının penceresinde;
Yalnız bende değil yalnızlık hâli;
Deniz de karanlık, gökyüzü de;
Bir acaip, kuşların hâli.

Bakma fakirmişim, kimsesizmişim;
– Akşamüstüne doğru, kış vakti –
Benim de sevdalar geçti başımdan.
Şöhretmiş, kadınmış, para hırsıymış;
Zamanla anlıyor insan dünyayı.

Ölürüz diye mi üzülüyoruz?
Ne ettik, ne gördük şu fâni dünyada
Kötülükten gayri?

Ölünce kirlerimizden temizlenir,
Ölünce biz de iyi adam oluruz;
Şöhretmiş, kadınmış, para hırsıymış,
Hepsini unuturuz.

ZİLLİ ŞİİR

Biz memurlar,
Saat dokuzda, saat on ikide, saat beşte,
Biz bizeyizdir caddelerde.
Böyle yazmış yazımızı Ulu Tanrı;
Ya paydos zilini bekleriz,
Ya aybaşını.

(Varlık, 1.12.1946)

PIRPIRLI ŞİİR

Uyandım baktım ki bir sabah,
Güneş vurmuş içime;
Kuşlara, yapraklara dönmüşüm,
Pır pır eder durur, bahar rüzgârında.
Kuşlara, yapraklara dönmüşüm;
Cümle âzâm isyanda;
Kuşlara, yapraklara dönmüşüm;
Kuşlara,
Yapraklara.

SERE SERPE

Uzanıp yatıvermiş, sere serpe;
Entarisi sıyrılmış, hafiften;
Kolunu kaldırmış, koltuğu görünüyor;
Bir eliyle de göğsünü tutmuş.
İçinde kötülüğü yok, biliyorum;
Yok, benim de yok ama...
Olmaz ki!
Böyle de yatılmaz ki!

(Varlık, 1.9.1946)

Ek

ALTINDAĞ

Altındağ, Ankara'nın arka tarafında kurulmuş büyük bir fakir fukara mahallesidir. Aşağıda okuyacağınız parçalar bu mahalleden bahseden uzun bir şiirden alınmıştır. Sabaha karşı bütün Altındağ rüya görür. Burada, sadece, bir genç kızla bir lâğamcının rüyasını okuyacaksınız.

Biri bir koca görür rüyasında:
Yüz lira maaşlı kibar bir adam.
Evlenir, şehire taşınırlar.
Mektuplar gelir adreslerine:
Şen Yuva apartımanı, bodrum katı.
Kutu gibi bir dairede otururlar.
Ne çamaşıra gidilir artık, ne cam silmeye;
Bulaşıksa kendi bulaşıkları.
Çocukları olur, nur topu gibi;
Elden düşme bir araba satın alınır.
Kızılay Bahçesi'ne gidilir sabahları;
Kumda oynasın diye küçük Yılmaz,
Kibar çocukları gibi.

Lâğamcının hamam rüyasıdır,
Rüyaların en güzeli.
Uzanır yatar göbek taşına;
Tellaklar gelip dizilir yanıbaşına.
Biri su döker,
Biri sabunlar;
Elinde kese sıra bekler biri.
Yeni müşteriler girerken içeri,
Lâğamcı,
Pamuklar gibi çıkar dışarı.

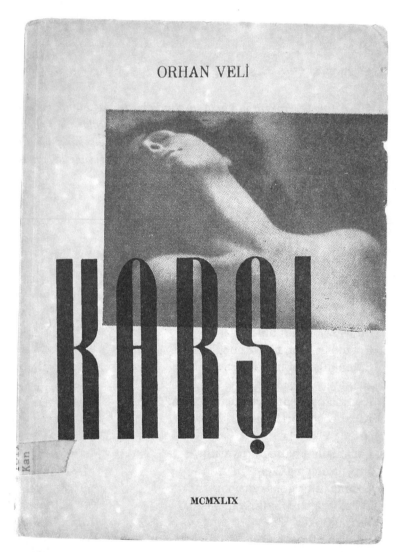

ORHAN VELİ

KARŞI

MCMXLIX

Birinci basım 1949

KARŞI

Birinci Basım: 1949

GÜN OLUR

Gün olur, alır başımı giderim,
Denizden yeni çıkmış ağların kokusunda
Şu ada senin, bu ada benim,
Yelkovan kuşlarının peşi sıra.

Dünyalar vardır, düşünemezsiniz;
Çiçekler gürültüyle açar;
Gürültüyle çıkar duman topraktan.

Hele martılar, hele martılar,
Her bir tüylerinde ayrı telâş!..

Gün olur, başıma kadar mavi;
Gün olur, başıma kadar güneş;
Gün olur, deli gibi...

(*Aile*, Temmuz 1947)

SİZİN İÇİN

Sizin için, insan kardeşlerim,
Her şey sizin için;
Gece de sizin için, gündüz de;
Gündüz gün ışığı, gece ay ışığı;
Ay ışığında yapraklar;
Yapraklarda merak;
Yapraklarda akıl;
Gün ışığında binbir yeşil;
Sarılar da sizin için, pembeler de;
Tenin avuca değişi,
Sıcaklığı,
Yumuşaklığı;
Yatıştaki rahatlık;
Merhabalar sizin için;
Sizin için limanda sallanan direkler;
Günlerin isimleri,
Ayların isimleri,
Kayıkların boyaları sizin için;
Sizin için postacının ayağı,
Testicinin eli;
Alınlardan akan ter,
Cephelerde harcanan kurşun;
Sizin için mezarlar, mezar taşları,
Hapishaneler, kelepçeler, idam cezaları;
Sizin için;
Her şey sizin için.

(*Yaprak*, 1.5.1949)

İSTANBUL'U DİNLİYORUM

İstanbul'u dinliyorum, gözlerim kapalı;
Önce hafiften bir rüzgâr esiyor;
Yavaş yavaş sallanıyor
Yapraklar, ağaçlarda;
Uzaklarda, çok uzaklarda,
Sucuların hiç durmıyan çıngırakları;
İstanbul'u dinliyorum, gözlerim kapalı.

İstanbul'u dinliyorum, gözlerim kapalı;
Kuşlar geçiyor, derken;
Yükseklerden, sürü sürü, çığlık çığlık.
Ağlar çekiliyor dalyanlarda;
Bir kadının suya değiyor ayakları;
İstanbul'u dinliyorum, gözlerim kapalı;

İstanbul'u dinliyorum, gözlerim kapalı;
Serin serin Kapalı Çarşı;
Cıvıl cıvıl Mahmutpaşa;
Güvercin dolu avlular.
Çekiç sesleri geliyor doklardan,
Güzelim bahar rüzgârında ter kokuları;
İstanbul'u dinliyorum, gözlerim kapalı;

./..

İstanbul'u dinliyorum, gözlerim kapalı;
Başında eski âlemlerin sarhoşluğu,
Loş kayıkhaneleriyle bir yalı;
Dinmiş lodosların uğultusu içinde
İstanbul'u dinliyorum, gözlerim kapalı;

İstanbul'u dinliyorum, gözlerim kapalı;
Bir yosma geçiyor kaldırımdan;
Küfürler, şarkılar, türküler, lâf atmalar.
Bir şey düşüyor elinden yere;
Bir gül olmalı;
İstanbul'u dinliyorum, gözlerim kapalı;

İstanbul'u dinliyorum, gözlerim kapalı;
Bir kuş çırpınıyor eteklerinde;
Alnın sıcak mı değil mi, biliyorum;
Dudakların ıslak mı değil mi, biliyorum;
Beyaz bir ay doğuyor fıstıkların arkasından
Kalbinin vuruşundan anlıyorum;
İstanbul'u dinliyorum.

(*Varlık*, 1.6.1947)

HÜRRİYETE DOĞRU

Gün doğmadan,
Deniz daha bembeyazken çıkacaksın yola.
Kürekleri tutmanın şehveti avuçlarında,
İçinde bir iş görmenin saadeti,
Gideceksin;
Gideceksin ırıpların çalkantısında.
Balıklar çıkacak yoluna, karşıcı;
Sevineceksin.
Ağları silkeledikçe
Deniz gelecek eline pul pul;
Ruhları sustuğu vakit martıların,
Kayalıklardaki mezarlarında,
Birden,
Bir kıyamettir kopacak ufuklarda.
Denizkızları mı dersin, kuşlar mı dersin;
Bayramlar seyranlar mı dersin, şenlikler cümbüşler mi?
Gelin alayları, teller, duvaklar, donanmalar mı?
Heeeey!
Ne duruyorsun be, at kendini denize;
Geride bekliyenin varmış, aldırma;
Görmüyor musun, her yanda hürriyet;
Yelken ol, kürek ol, dümen ol, balık ol, su ol;
Git gidebildiğin yere.

(*Aile*, Ekim 1947)

GALATA KÖPRÜSÜ

Dikilir Köprü üzerine,
Keyifle seyrederim hepinizi.
Kiminiz kürek çeker, sıya sıya;
Kiminiz midye çıkarır dubalardan;
Kiminiz dümen tutar mavnalarda;
Kiminiz çımacıdır halat başında;
Kiminiz kuştur, uçar, şairâne;
Kiminiz balıktır, pırıl pırıl;
Kiminiz vapur, kiminiz şamandıra;
Kiminiz bulut, havalarda;
Kiminiz çatanadır, kırdığı gibi bacayı,
Şıp diye geçer Köprü'nün altından;
Kiminiz düdüktür, öter;
Kiminiz dumandır, tüter;
Ama hepiniz, hepiniz...
Hepiniz geçim derdinde.
Bir ben miyim keyif ehli, içinizde?
Bakmayın, gün olur, ben de
Bir şiir söylerim belki sizlere dair;
Elime üç beş kuruş geçer;
Karnım doyar benim de.

(*Varlık*, 1.5.1947)

KARŞI

Gerin, bedenim, gerin;
Doğan güne karşı.
Duyur duyurabilirsen,
Elinin, kolunun gücünü,
Ele güne karşı.

Bak! dünya renkler içinde!
Bu güzel dünya içinde
Sevin sevinebilirsen,
İnsanlığın haline karşı.

Durmadan işliyen saatlerde
Dişli dişliye karşı;
Dişlilerin arasında,
Güçsüz güçlüye karşı.
Herkes bir şeye karşı.
Küçük hanım, yatağında, uykuda,
Rüyalarına karşı.

Gerin, bedenim, gerin,
Doğan güne karşı.

(*Aile*, Ekim 1949)

DALGACI MAHMUT

İşim gücüm budur benim,
Gökyüzünü boyarım her sabah,
Hepiniz uykudayken.
Uyanır bakarsınız ki mavi.

Deniz yırtılır kimi zaman,
Bilmezsiniz kim diker;
Ben dikerim.

Dalga geçerim kimi zaman da,
O da benim vazifem;
Bir baş düşünürüm başımda,
Bir mide düşünürüm midemde,
Bir ayak düşünürüm ayağımda,
Ne haltedeceğimi bilemem.

(Yaprak, 1.3.1949)

BAHARIN İLK SABAHLARI

Tüyden hafif olurum böyle sabahlar;
Karşı damda bir güneş parçası,
İçimde kuş cıvıltıları, şarkılar;
Bağıra çağıra düşerim yollara;
Döner döner durur başım havalarda.

Sanırım ki günler hep güzel gidecek;
Her sabah böyle bahar;
Ne iş güç gelir aklıma, ne yoksulluğum.
Derim ki: "Sıkıntılar duradursun!"
Şairliğimle yetinir,
Avunurum.

(*Yaprak*, 15.5.1949)

YALNIZLIK ŞİİRİ

Bilmezler yalnız yaşamıyanlar,
Nasıl korku verir sessizlik insana;
İnsan nasıl konuşur kendisiyle;
Nasıl koşar aynalara,
Bir cana hasret,
Bilmezler.

(*Meydan*, 15.5.1948)

AYRILIŞ

Bakakalırım giden geminin ardından;
Atamam kendimi denize, dünya güzel;
Serde erkeklik var, ağlıyamam.

(*Aile*, Ekim 1949)

İÇERDE

Pencere, en iyisi pencere;
Geçen kuşları görürsün hiç olmazsa;
Dört duvarı göreceğine.

(Yaprak, 1.6.1949)

BİR DUYMA DA GÖR

Bir duyma da gürültüsünü
Dallarda çıtırdayarak açılan fıstıkların,
Gör bak ne oluyorsun.
Bir duyma da gör şu yağan yağmuru;
Çalan çanı, konuşan insanı.
Bir duyma da kokusunu yosunların,
İstakozun, karidesin,
Denizden esen rüzgârın....

(*Yaprak*, 15.6.1949)

BEDAVA

Bedava yaşıyoruz, bedava;
Hava bedava, bulut bedava;
Dere tepe bedava;
Yağmur çamur bedava;
Otomobillerin dışı,
Sinamaların kapısı,
Camekânlar bedava;
Peynir ekmek değil ama
Acı su bedava;
Kelle fiyatına hürriyet,
Esirlik bedava;
Bedava yaşıyoruz, bedava.

(*Yaprak*, 15.4.1949)

VATAN İÇİN

Neler yapmadık şu vatan için!
Kimimiz öldük;
Kimimiz nutuk söyledik.

(Varlık, 1.8.1946)

AHMETLER

Kimimiz Ahmet Bey,
Kimimiz Ahmet Efendi;
Ya Ahmet Ağayla Ahmet Beyfendi?

(*Yaprak*, 15.3.1949)

*Erol Güney'in kedisinin
bahar mevsiminde ve toplum meseleleri
karşısında takındığı tavrı anlatır
Şiirdir.*

Bir erkek kediyle bir parça ciğer;
Dünyadan bütün beklediği.
Ne iyi!

*Erol Güney'in kedisinin hamileliğini
Anlatır şiirdir.*

Çıkar mısın bahar günü sokağa,
İşte böyle olursun.
Böyle yattığın yerde
Düşünür düşünür,
Durursun.

Bozuk Düzen:

PİRELİ ŞİİR

Bu ne acaip bilmece!
Ne gündüz biter, ne gece.
Kime söyleriz derdimizi;
Ne hekim anlar, ne hoca.

Kimi işinde gücünde,
Kiminin donu yok kıçında.
Ağız var, burun var, kulak var;
Ama hepsi başka biçimde.

Kimi peygambere inanır;
Kimi saat köstek donanır;
Kimi kâtip olur, yazı yazar;
Kimi sokaklarda dilenir.

Kimi kılıç takar böğrüne;
Kimi uyar dünya seyrine:
Karı hesabına geceleri,
Gündüzleri baba hayrına.

Bu düzen böyle mi gidecek?
Pireler filleri yutacak;
Yedi nüfuslu haneye
Üç buçuk tayın yetecek?

Karışık bir iş vesselâm.
Deli dolu yazar kalem.
Yazdığı da ne? Bir sürü
İpe sapa gelmez kelâm.

(*Varlık*, 1.7.1946)

KİTAPLARINA GİRMEYEN
SON ŞİİRLERİ

SAĞLIĞINDA YAYIMLANANLAR

SUCUNUN TÜRKÜSÜ

Su taşırım, eşeğim önümde;
Deh, eşeğim, deh!
Bin kişinin canına can katar günde;
Deh, eşeğim, deh!

İki teneke bir yanına,
İki teneke öbür yanına;
Salına salına;
Can katar günde bin kişinin canına;
Deh, eşeğim, deh!

Şu dünyada varım yoğum:
Karım, eşeğim, oğlum.
Deh, eşeğim, deh!
Hepinize uzun ömürler versin Tanrım.
Siz ölürseniz ben ne yaparım?
Deh, eşeğim, deh!

O su taşır, bana yağ bal,
Karıma süt olur.
Çamurlu su, içene âfiyet olur.
Günde yüz hane, bin nüfus
– Deh, eşeğim, deh! –
Hayat bulur,
Sıhhat bulur,
Bereket bulur.

(*Yaprak*, 1.11.1949)

DALGA

Mesut sanmak için kendimi
Ne kâğıt isterim, ne kalem;
Parmaklarımda cıgaram,
Dalar giderim mavisinden içeri
Karşımda duran resmin.

Giderim, deniz çeker;
Deniz çeker, dünya tutar.
İçkiye benzer bir şey mi var,
Bir şey mi var ki havada
Deli eder insanı, sarhoş eder?

Bilirim, yalan, hepsi yalan;
Taka olduğum, tekne olduğum yalan;
Suların kaburgalarımdaki serinliği,
İskotada uğuldayan rüzgâr,
Haftalarca dinmeyen motor sesi,
Yalan.

Ama gene de,
Gene de güzel günler geçirebilirim;
Geçirebilirim bu mâvilikte,
Suda yüzen karpuz kabuğundan farksız,
Ağacın gökyüzüne vuran aksinden,
Her sabah erikleri saran buğudan,
Buğudan, sisten, ışıktan, kokudan...

II

Ne kâğıt yeter ne kalem,
Mesut sanmam için kendimi.
Bunların hepsi... hepsi fasafiso.
Ne takayım, ne tekneyim.
Öyle bir yerde olmalıyım,
Öyle bir yerde olmalıyım ki,
Ne karpuz kabuğu gibi,
Ne ışık, ne sis, ne buğu gibi...
İnsan gibi.

(*Yaprak*, 1.12.1949)

KUYRUKLU ŞİİR

Uyuşamayız, yollarımız ayrı;
Sen ciğercinin kedisi, ben sokak kedisi;
Senin yiyeceğin, kalaylı kapta;
Benimki aslan ağzında;
Sen aşk rüyası görürsün, ben kemik.

Ama seninki de kolay değil, kardeşim;
Kolay değil hani,
Böyle kuyruk sallamak Tanrının günü.

(*Yaprak*, 15.12.1949)

CEVAP

–Ciğercinin kedisinden sokak kedisine –

Açlıktan bahsediyorsun;
Demek ki sen komünistsin.
Demek bütün binaları yakan sensin.
İstanbul'dakileri sen,
Ankara'dakileri sen...
Sen ne domuzsun, sen!

(*Yaprak*, 15.1.1950)

RAHAT

Şu kavga bir bitse dersin,
Acıkmasam dersin,
Yorulmasam dersin;
Çişim gelmese dersin,
Uykum gelmese dersin;

Ölsem desene!

(*Yaprak*, 1.2.1950)

MACERA

Küçüktüm, küçücüktüm,
Oltayı attım denize;
Bir üşüşüverdi balıklar,
Denizi gördüm.

Bir uçurtma yaptım, telli duvaklı;
Kuyruğu ebemkuşağı renginde;
Bir salıverdim gökyüzüne;
Gökyüzünü gördüm.

Büyüdüm, işsiz kaldım, aç kaldım;
Para kazanmak gerekti;
Girdim insanların içine,
İnsanları gördüm.

Ne yârdan geçerim, ne serden;
Ne denizlerden, ne gökyüzünden ama...
Bırakmıyor son gördüğüm,
Bırakmıyor geçim derdi.

Oymuş, diyorum, zavallı şairin
Görüp göreceği.

(*Yaprak*, 15.3.1950)

BİRDENBİRE

Her şey birdenbire oldu.
Birdenbire vurdu gün ışığı yere;
Gökyüzü birdenbire oldu;
Mavi birdenbire.
Her şey birdenbire oldu;
Birdenbire tütmeye başladı duman topraktan;
Filiz birdenbire oldu, tomurcuk birdenbire.
Yemiş birdenbire oldu.

Birdenbire,
Birdenbire;
Her şey birdenbire oldu.
Kız birdenbire, oğlan birdenbire;
Yollar, kırlar, kediler, insanlar...
Aşk birdenbire oldu,
Sevinç birdenbire.

(*Yaprak*, 1.4.1950)

DENİZ KIZI

Denizden yeni mi çıkmıştı neydi;
Saçları, dudakları
Deniz koktu sabaha kadar;
Yükselip alçalan göğsü deniz gibiydi.

Yoksuldu, biliyorum
– Ama boyna da yoksulluk sözü edilmez ya –
Kulağımın dibinde, yavaş yavaş,
Aşk türküleri söyledi.

Neler görmüş, neler öğrenmişti kim bilir,
Denizle buğaz buğaza geçen hayatında!
Ağ yamamak, ağ atmak, ağ toplamak,
Olta yapmak, yem çıkarmak, kayık temizlemek...
Dikenli balıkları hatırlatmak için
Elleri ellerime değdi.

O gece gördüm, onun gözlerinde gördüm;
Gün ne güzel doğarmış meğer açık denizde!
Onun saçları öğretti bana dalgayı;
Çalkandım durdum rüyalar içinde.

1943

(*Yaprak*, 15.6.1950)

ÖLÜMÜNDEN SONRA YAYIMLANANLAR

GELİRLİ ŞİİR

İstanbul'dan ayva da gelir, nar gelir,
Döndüm baktım, bir edalı yâr gelir,
Gelir desen dar gelir;
Gün aşırı alacaklılar gelir.
Anam anam,
Dayanamam,
Bu iş bana zor gelir.

(*Varlık*, 1.1.1951)

AŞK RESMİGEÇİTİ*

Birincisi o incecik, o dal gibi kız,
Şimdi galiba bir tüccar karısı.
Ne kadar şişmanlamıştır kim bilir.
Ama yine de görmeyi çok isterim,
Kolay mı? ilk göz ağrısı.

İkincisi Münevver Abla, benden büyük
Yazıp yazıp bahçesine attığım mektupları
Gülmekten katılırdı, okudukca.
Bense bugünmüş gibi utanırım
O mektupları hatırladıkca.

.... çıkar
.... dururduk mahallede
.... halde
.... yan yana yazılırdı duvarlara
.... yangın yerlerinde.

Dördüncüsü azgın bir kadın,
Açık saçık şeyler anlatırdı bana.
Bir gün de önümde soyunuverdi
Yıllar geçti aradan, unutamadım,
Kaç defa rüyama girdi.

* Şairin el yazısıyla yazdığı ve diş fırçasını sardığı bir kağıtta bulunan, yer yer okunamayan bu şiir, sonradan Varlık Yayınları'nca *Bütün Şiirleri*'ne alınırken bazı boşlukları doldurulmuş, ama bu arada akla yakın görünmeyen birtakım değişiklikler de yapılmıştır.

Beşinciyi geçip altıncıya geldim.
Onun adı da Nurinnisa.
Ah güzelim
Ah esmerim
Ah
Canımın içi Nurinnisa.

Yedincisi, Aliye, kibar bir kadın.
Ama ben pek varamadım tadına.
Bütün kibar kadınlar gibi
Küpe fiyatına, kürk fiyatına.

Sekizinci de o bokun soyu.
Elin karısında namus ara,
Kendinde arandı mı küplere bin.
Üstelik ......
Yalanın düzenin bini bir para.

Ayten'di dokuzuncunun adı.
İş başında şunun bunun esiri,
Ama bardan çıktı mı,
Kiminle isterse onunla yatar.

Onuncusu akıllı çıkı
.... gitti ....
Ama haksız da değildi hani.
Sevişmek zenginlerin harcıymış
İşsizlerin harcıymış.
İki gönül bir olunca
Samanlık seyranmış ama,
İki çıplak da, olsa olsa,
Bir hamama yakışırmış.

./..

İşine bağlı bir kadındı on birinci.
Hoş, olmasın da ne yapsın,
Bir zalimin yanında gündelikçi.
.... leksandra
Geceleri odama gelir,
Sabahlara kadar kalır.
Konyak içer, sarhoş olur,
Sabahı da işbaşı yapardı şafakla.

Gelelim sonuncuya.
Hiçbirine bağlanmadım
Ona bağlandığım kadar.
Sade kadın değil, insan.
Ne kibarlık budalası,
Ne malda mülkte gözü var.
Hür olsak der,
Eşit olsak der.
İnsanları sevmesini bilir
Yaşamayı sevdiği kadar.

(Son Yaprak, 1.2.1951)

DELİKLİ ŞİİR

Cep delik cepken delik
Yen delik kaftan delik
Don delik mintan delik

Kevgir misin be kardeşlik

(*Yeni Dergi*, 1.3.1951)

RUBAİ

Ömrün o büyük sırrını gör bir bak da
Bir tek kökü kalmış ağacın toprakta
Dünya ne kadar tatlı ki binlerce kişi
Kolsuz ve bacaksız yaşayıp durmakta.

(*Aile*, (17), Nisan 1951)

YAŞAMAK

I

Biliyorum, kolay değil yaşamak,
Gönül verip türkü söylemek yâr üstüne;
Yıldız ışığında dolaşıp geceleri,
Gündüzleri gün ışığında ısınmak;
Şöyle bir fırsat bulup yarım gün,
Yan gelebilmek Çamlıca tepesine...
– Bin türlü mavi akar Boğaz'dan –
Her şeyi unutabilmek maviler içinde.

II

Biliyorum, kolay değil yaşamak;
Ama işte
Bir ölünün hâlâ yatağı sıcak,
Birinin saati işliyor kolunda.
Yaşamak kolay değil ya kardeşler,
Ölmek de değil;

Kolay değil bu dünyadan ayrılmak.

(Aile, (17), Nisan 1951)

OARISTYS

(In Memoriam)

Ey hâtırası içimde yemin kadar büyük,
Ey bahçesinin hoş günlere açık kapısı
Hâlâ rüyalarıma giren ilk göz ağrısı,
Çocuk alınlarda duyulan sıcak öpücük.

Ey sevgi dalımda ilk çiçek açan tomurcuk,
Kanımın akışını yenileştiren damar,
Gül rengi ışıkları sevda dolu akşamlar
İçime yeni bir fecir gibi dolan çocuk.

Ey tahta perdenin üzerinden aşan hatmi
Ve havaları seslerimizle dolu bahar,
Koşuştuğumuz yollar, oynadığımız sular,
Kâğıttan teknesinde sevinç taşıyan gemi.

Duyup karşı minarede okunan yatsıyı
Yatağıma sıcaklığını getiren rüya,
Denizlerinde onunla yaşadığım dünya
Ve ey ufku beyaz cennetlere giden kıyı.

Ah! Birçok şeyler hatırlatan erik ağacı
Ve o ilk yolculukla başlıyan hasret, zindan;
Atları çıngıraklı arabanın ardından
Beyaz, keten mendilimde sallanan ilk acı.

Ankara, Haziran 1936

Varlık, 1.12.1936

EBABİL

Alıp içinde sesler uçuşan bu akşamdan
Hâfızamı bir deniz kıyısına çeken yol,
Aydınlık rüyaların peşine düşen gondol
Mavi bir denizde yüzer gibi yanan şamdan.

Tuşların üstünde karanlığın heyulâsı
Ve birden kalbe çırpınışlar veren hâtıra.
Çekmede beni saadet dolu dünyalara
Mine parmaklarında sadalaşan hulyası.

Sıyrılmada gözlerimden yıllarca geceler
Ve yalnız kalmada bir yaza râm olan sahil,
Uçuşmada gökyüzünde bir sürü ebabil:
Sevgimi ve hasretimi ebedî kılan yer.

Açık pancurlarından seslerin dökülüşü..
Bir göl mü ürpermede ruhun uzaklarında?
En yakın sevgiyi duymıyan dudaklarında
Her yaşayıştan daha güzel olan gülüşü.

Ilık gölgelerde uyutup düşünceleri
Beyaz eteklerile bana göründüğü an
Ve kapıları yeşil sabahlara açılan
Sıcak tahayyüllerle dolu yaz geceleri.

Renkli fanusların altında doğan dünyası,
Omuzlarında ay ışığından örgülerle
Eklenmede içime hasret kaldığım yerle
Mine parmaklarında sadalaşan hulyası.

Ankara, Temmuz 1936

(*Varlık*, 1.12.1936)

DÜŞÜNCELERİMİN BAŞUCUNDA

Hasretimin yıllardan beri bel bağladığı..
İşte odur düşüncelerimin başucunda.
O, göğsünün taşkın hareketi avucunda,
Gözlerinde rüyaların gülüp ağladığı.

Kendi bahçesidir onu içinde gördüğüm.
Yollar yine her günkü gibi yaz uykusunda
Ve yaban çiçeklerinin buruk kokusunda
Her ikindi günlük rüyasını gören mürdüm.

Onun da dudaklarında bir eskiye dönüş,
O da yüzmede bir ses yığını üzerinde.
Bin hâtırayı bir anda duyan gözlerinde
İnsana ruhlar dolusu haz veren düşünüş.

Sonra kızlık kadar temiz, aydın bir açılma:
Evine giden toprak yolda o yine çocuk,
Yine uykuyla başlıyan âlemde yolculuk
Ve taptaze sabahlar kayısı dallarında.

Hasretimin yıllardan beri bel bağladığı..
İşte odur düşüncelerimin başucunda.
O, göğsünün taşkın hareketi avucunda,
Gözlerinde rüyaların gülüp ağladığı.

İstanbul, Eylül 1936

(*Varlık*, 1.12.1936)

ELDORADO

(On dördüncü yaşın ilk güzel gecesine ithaf)

Ufkunda mavi bulutların uçuştuğu dağ,
Büyülü göklerinde sesler duyduğum Aden,
Avucumda dört kollu nehrin verdiği maden,
Üstümde yemişleri alnıma değen Tûbâ.

Müthiş dünyasile, uykuma ilk girdiği yer..
Gülümsüyor mavi bir ay ışığında kamış.
Göllerin şekil dolu derinliğine dalmış
Vuslatın havasını çevreleyen iğdeler.

Suların aydınlığında saadetten bir iz:
Dallardan süzülen kayığından bu hoş insan,
Omzuna değen arzu dolu dudakları kan.
Artık bir cennete bağlı bütün günlerimiz.

Artık ışıkla dolu billûr bir kadeh gibi,
En güzel şeytanın elinde tuttuğu gurup;
Akşamlar ağzımda harikulâde bir şurup
Ve başımda geceler yeşil bir deniz dibi.

Ufkunda mavi bulutların uçuştuğu dağ
Ve nebatî bir âlemde duyduğum ilk hece,
Bir sesin aydınlattığı yalan dolu gece
Ve dumanlı bir sabah serinliği ormanda.

Ne onda itidal, ne bende günahkâr hali
Ruhları bir kuş gibi âvare kılan uyku.
Dağılan içimde her zaman o baygın koku,
Lezzeti dudağımda buğulaşan şeftali.

Ankara, Eylül 1936

(*Varlık*, 1.12.1936)

ODAMDA

Ben miyim bu şeylerin sahibi?
Kafamda bir çocuk var, meraksız.
İç âlemim oyuncaktan farksız;
Odam, içime bir ayna gibi.

Bir ışık oyunu var tavanda.
Gölgeler seslerle birleşiyor
Ve bir karga beynimi deşiyor
Azaplar kemirdiğim bu anda.

Kardeşini öldürüyor Kabil,
İçimde bir yalnızlık duygusu;
Ölüm kadar uzun yaz uykusu,
Sıkıntı ile geçilen sahil.

Bağlanıyor bir iple bir sürü
Düşünce köyleri birbirine,
Çöküyor her şeyin üzerine
Hülyam boyunca kurduğum köprü.

Ve doluyor sessiz, ordularım
Durmadan, dinlenmeden odama;
Urbam içinde yatan adama
Hayretle bakıyor dört duvarım.

Kardeşini öldürüyor Kabil,
İçimde bir yalnızlık duygusu;
Ölüm kadar uzun yaz uykusu,
Sıkıntı ile geçilen sahil.

./..

Düşüp yatağın dalgalarına
Günlerce sürüyor bu yolculuk,
Durmadan akıtıyor bir oluk
Korkuyu sükûtun mezarına.

Ve delirmenin tatlı vehmini
Sessizlik odama dolduruyor,
Kargam hâlâ başımda duruyor
Bulmakçün beynin cehennemini.

Kardeşini öldürüyor Kabil,
İçimde bir yalnızlık duygusu;
Ölüm kadar uzun yaz uykusu,
Sıkıntı ile geçilen sahil.

Dünyaya tek gelen insan gibi
Atılıyorum bir Hint dağına
Giriyor kafamın darlığına
Kimsesiz dünyaların sahibi.

Gidip, gidip gelmede aynı his,
İskeleye ulaşmıyor çıma.
Dikiliyor ansızın karşıma
Boynum kalınlığındaki ceviz.

Kardeşini öldürüyor Kabil,
İçimde bir yalnızlık duygusu;
Ölüm kadar uzun yaz uykusu,
Sıkıntı ile geçilen sahil.

Ankara, Ekim 1936

(*Varlık*, 15.12.1936)

SEYAHAT

(René Bizet'den)

Her yanı yolculuk dolu gökyüzünde
Altından kuşlarımın çırpınışı var.
Dönüyorlar bir manzaranın üstünde;
Soluk kül rengi bir günle dönüyorlar.

Hangi liman veya adaya bu gidiş,
En canlı çırpınışlar kanatlarında?
Denizde ne bir yelken, ne bir ürperiş;
Bütün zenci kırallar ölü bu anda.

Gidecekler beyaz köpükten izinde
Uzak, ağır ve çok uzak bir vapurun.
Birden belirecek hepsinin gözünde
Manzarası Yafa'nın ve Singapur'un.

Sonra sabahların en muhayyelini
Geri getirecekler uçuşlarında
Ve anlatacaklar hikâyelerini
Hazzın en büyüğünü duyan ruhuma

Mehmet Ali Sel adıyla

(Varlık, 15.12.1936)

KURT

Ah! artık benim de benzim sarı,
Damar kanımı dolaştırmıyor.
Hiçbir kıyıya ulaştırmıyor,
Beni Şehrazad'ın masalları.

Anlamıyorum dilinden artık
Geceyi saran güzelliğinin;
İçim kör bir kuyu gibi derin,
Bir şey beklemiyor benden artık.

Susmak istiyorum, susmak bugün.
Susmak.. hiçbir üzüntü duymadan.
Büyük bir kuş iniyor semadan.
Sükût, bu indiğini gördüğün.

Artık tırtılları beslemiyor
Bahçemin orta yerindeki dut.
Başıma kondu ebedi sükût.
Gün yeniden doğmak istemiyor.

Kuşla oldumsa da senli benli,
Beynimi kurcalayan bir kurt var:
Anlamak istiyorum, ne yapar
Rüzgârı boşalınca yelkenli?

Ankara, Ekim 1936

(*Varlık*, 1.1.1937)

EHRAM

Ey aşılmaz dağların ardında,
Ulaşılmaz beldelerden uzak,
Hasretin dallarını tutan sak,
Mavi, sonsuz bir tâkın altında!

Ey gülüşü sabahlardan güzel,
Dünyası düşüncelerden geniş!
Ey göğsünde ilâhî geriniş,
Rüyalarıma hükmeden güzel!

Nerde iğilen dalından yere
Portakalların düştüğü çardak,
Kadehe duyarak değen dudak,
Sevgile bakan göz, gecelere;

Yanmış ruhu titreten ilâhî,
Yapraklarda billûrlaşan seher;
Nerde çam kokan tahta testiler,
Geyik sesile çınlıyan vâdi?

Yaldız dallarda çiçek yerine
Yıldız açmaz mı artık ağaçlar,
Yanmaz mı bin rüya ile saçlar
Kapanıp günün eteklerine?

Ey gülüşü sabahlardan güzel,
Dünyası düşüncelerden geniş!
Ey göğsünde ilâhi geriniş
Rüyalarıma hükmeden güzel!

Hakikate olmaz mı acep râm
Yıllardır beslediğim düşünce?
Çıkılmaz dağlardan da mı yüce
Hasretlerin tırmandığı ehram?

Mehmet Ali Sel adıyla Ankara, Aralık 1936

(Varlık, 1.1.1937)

BUĞDAY

Düzüldü uçsuz bucaksız alay,
Çıngıraklar çalar kapılarda.
Düzüldü uçsuz bucaksız alay,
Bak, son hasad başladı rüzgârda.

Okundan ayrılmak üzere yay,
Kuyuların ağzı genişledi.
Okundan ayrılmak üzere yay,
Korku tâ kemiğime işledi.

Savruluyor gökyüzünde buğday,
Gölgeler uzaklaşıyor yerde.
Savruluyor gökyüzünde buğday,
Tanrım! Tanrım! Bir deva bu derde.

Düzüldü uçsuz bucaksız alay,
Çıngıraklar çalar kapılarda.
Düzüldü uçsuz bucaksız alay,
Bak, son hasad başladı rüzgârda.

Undan bize de pay, bize de pay,
Koşun, buğday dağıtıyor Yusuf.
Undan bize de pay, bize de pay,
Çökmeden sonu gelmiyen küsuf.

Eriyecek tencerede kalay,
Çocuklar ağlaşmasınlar dağda.
Eriyecek tencerede kalay,
Yetişmiyecek Ömer imdada.

Altında aynı eyer, aynı tay;
Arayıcısı herkes bir sesin.
Altında aynı eyer, aynı tay;
Seferi aynı köye herkesin.

Artık kuruldu bu kervansaray,
Boşuna düşünür ihtiyarlık.
Artık kuruldu bu kervansaray,
Şimdi seslerle dolu mezarlık.

İstanbul-Ankara, Eylül 1936

(*Varlık*, 15.1.1937)

DAR KAPI

Nedir bu geceyle gelen birsam?
Duyuyorum serzenişlerini.
Karanlıkta ağzının yerini
Arıyor deli gibi hâfızam.

"Yanıyor unutulmuş buhurdan
Yine gecenin içinde sessiz",
Hâtıralarla kabaran deniz,
Doluyor ruhun oluklarından.

Işık yağıyor doğan geceden;
Nasıl diriliş bu, neden sonra?
Bu rüya gibi geceden sonra
Gidecek mi o maziden gelen?

Seziyorum senelerce susan
Ruhumda taptaze bir geriniş.
Sonuna vardığım çölden geniş
Ayaklarıma açılan umman.

Bütün mevsimlerimin üstüne
Geriliyor bembeyaz bir kanat.
Gelip durdu artık işte hayat
Bana hep onu vâdeden güne.

Artık ebedî huzur deminin
İçibilirim sırlı tasından,
Girmek üzereyim dar kapısından
O eski rüyalar âleminin.

Mehmet Ali Sel adıyla, Ankara, Aralık 1936

(Varlık, 15.1.1937)

AVE MARIA

Rüzgâr tersine esiyor.. Niçin?
Eski günler geri mi gelecek?
Kımıldıyor kozasında böcek
Bildiği hayata doğmak için.

Neden içimize doldu vehim?
Ah ümit, ümit yollar boyunca.
Düşünmez miydi akşam olunca
Hacer'in kollarında İbrahim

Ve gemisinde Kleopatra?
Neden yine kaynaştı havalar?
Saadet mi getiriyor rüzgâr
Dolarak erguvan atlaslara?

Elimize değen kimin eli?
Kimdir bu muammalarla gelen?
O mu helezonlara yükselen,
Saba ellerinin en güzeli?

Sesler mi çözülüyor derinde,
Nedir durup dinlediklerimiz,
Şarkı mı söylüyor Semiramis
Babil'in asma bahçelerinde?

Omzundan örtüler kaydı yere.
Kim bu, kim? Alnımızdaki yazı:
Gözlerinde günahının hazzı
Gülüyor saz benizli bâkire.

Eylül 1936

(*Varlık*, 1.2.1937)

AÇSAM RÜZGÂRA

Ne hoş, ey güzel Tanrım, ne hoş
Maviliklerde sefer etmek!
Bir sahilden çözülüp gitmek
Düşünceler gibi başıboş.

Açsam rüzgâra yelkenimi;
Dolaşsam ben de deniz deniz
Ve bir sabah vakti, kimsesiz
Bir limanda bulsam kendimi.

Bir limanda, büyük ve beyaz..
Mercan adalarda bir liman..
Beyaz bulutların ardından
Gelse altın ışıklı bir yaz.

Doldursa içimi orada
Baygın kokusu iğdelerin.
Bilmese tadını kederin
Bu her âlemden uzak ada.

Konsa rüya dolu köşkümün
Çiçekli damına serçeler.
Renklerle çözülse geceler,
Nar bahçelerinde geçse gün.

Her gün aheste mavnaların
Görsem açıktan geçişini
Ve her akşam dizilişini
Ufukta mermer adaların.

Ne hoş, ey güzel Tanrım, ne hoş!
İller, göller, kıtalar aşmak.
Ne hoş deniz deniz dolaşmak
Düşünceler gibi başıboş.

Versem kendimi bütün bütün
Bir yelkenli olup engine;
Kansam bir an güzelliğine
Kuşlar gibi serseri ömrün.

Mehmet Ali Sel adıyla, Ankara, 1936
(*Varlık*, 1.2.1937)

İHTİYARLIK

(Franz Hellens'den)

Benim, bardağın, sürahinin
Önümüzdesin; rengin uçmuş.
Bu; eski, sevdiğim bir duruş.
Elin, içinde benimkinin.

İçelim! Madem ömrümüz hoş
Geçmiş, tatmamışız ayrılık;
Madem ne bardağımız kırık,
Madem ne de sürahimiz boş.

Bir gün ikimizden birimiz
İçmek veya doldurmak için
Burada olmayabiliriz.

Mehmet Ali Sel adıyla

(Varlık, 15.2.1937)

UZUN BİR ISTIRABIN SONUNDA VE BİR SAADET ÂNINDA GELECEK ÖLÜMÜN TÜRKÜSÜ

Bir sahile varacak günlerimiz..
Günler ki nâmütenahi ıstırap;
Kalmıyacak bugünkü hasta, harap
Yüzlerde bahtın karanlığından bir iz.

Şekillenecek ruhu çeken kutup :
Sevmek kadar tatlı, yaşamak kadar
Kısa bir ânın ötesinde bahar..
İşte o dem ki bir ömrü unutup

Açacağız nurdan kapılarını
Bugün vâdedilen cennetimizin.
En güzel, en son memleketimizin
Bulacağız ışıktan pınarını.

Gün vuracak baktığımız her yüze..
Ve kızlar, kucaklarında çiçekler,
Ebedî baharı getirecekler
Bu yeni başlıyan ömrümüze.

Mehmet Ali Sel adıyla, Ankara, Mart 1937

(*Varlık*, 15.3.1937)

GÜN DOĞUYOR

Dili çözülüyor gecelerin..
Gölgeler kaçışıyor derine
Alıp sihrini bilmecelerin:
Gün doğuyor şehrin üzerine.

Korkarak şeklalıyor bacalar,
Gün doğuyor şehrin üzerine;
Dalıyorlar günün gözlerine
Gözleri uykulu atmacalar.

Sallıyarak dallarını kavak
Yükseliyor her günkü yerine,
Gün doğuyor şehrin üzerine
Mavi bir ışıkla ağararak.

Gün doğuyor şehrin üzerine,
Renk renk hacimle doluyor her yer.
Bakıyor dağınık yüzlü evler
Hâlâ yanan sokak fenerine.

Toprak kımıldıyor yavaş yavaş,
Gün doğuyor şehrin üzerine,
Bembeyaz gece çiçeklerine
Sabahla düşüyor bir damla yaş.

Ve bir deniz hücumu halinde
Gün doğuyor şehrin üzerinde.

Ankara, Nisan 1936

(*Varlık*, 15.3.1937)

GÜNEŞ

Ah! aydınlıklardan uzaktayım,
Kafamda o dağılmıyan sükûn.
Ölmedim lâkin, yaşamaktayım.
Dinle bak: vurmada nabzı ruhun.

Yarasalar duyurmada bana
Kanatlarının ihtizazını.
Şimdi hep korkular benden yana;
Bekliyor sular, açmış ağzını.

Ah! aydınlıklardan uzaktayım,
Kafamda o dağılmıyan sükûn.
Ölmedim lâkin, yaşamaktayım.
Dinle bak: vurmada nabzı ruhun.

Siyah ufukların arkasında
Seslerle çiçeklenmede bahar
Ve muhayyilemin havasında
En güzel zamanın renkleri var.

Ölmedim hâlâ.. yaşamaktayım.
Dinle bak: vurmada nabzı ruhun!
Ah! aydınlıklardan uzaktayım,
Kafamda o dağılmıyan sükûn.

Ruhum ölüm rüzgârlarına eş;
Işık yok gecemde, gündüzümde.
Gözlerim görmüyor.. lâkin güneş..
O her zaman, her zaman yüzümde.

Mehmet Ali Sel adıyla, Mart 1937

(*Varlık*, 1.4.1937)

ZEVAL

Örtüldü hâfızanın örtüsü
Tasalarımın bittiği yerde.
Yükseliyor şimdi perde perde
"Geri gelen saadet" türküsü.

Devri tamam oldu pervanenin
Gökten bir beklediğim kalmadı.
Tükendi artık içimde tadı
Yıldızlı küreler düşünmenin.

Ne çıkar karşıma çıksa ecel,
Bu boşluk ondan daha mı iyi?
Başka bir âlemden beklediği
Olmıyan kula zeval ne güzel!

Beklememek beter beklemeden;
Geldi yolunu gözlediğim yâr.
Al bu başı sen artık ey rüzgâr
Ve sus artık, sus artık ey beden!

Ankara, Ekim 1936

(*Varlık*, 15.5.1937)

HELENE İÇİN

(Nezihe Adil-Arda'ya)

Ötesi yok şehre ulaşınca kaderin yolu
Pişman bir el kapayacak kapısını ömrünün;
Hatırlayacaksın beni gözlerin yaşla dolu,
Güzelliğin yalnız mısralarımda kaldığı gün.

Odanı dolduracak son mevsimin, son baharın..
İsmini dinleyeceksin serin esen rüzgârda,
Duyacaksın ateş feryadını hâtıraların
Akşam vakti söylenen âşıkane şarkılarda.

Ve bilhassa parmaklığına dayandığın zaman
Ufku uzak şehirlere açılan balkonunun,
Günahların geçecek hafızanın arkasından.
Günahların.. Sonu gelmez kafilelerden uzun..

Susarken ağaçlarda kuşlar tahayyül içinde,
Bakışlarında sükûnun zehri, bekleyeceksin.
Türlü acılar şekillenecek yine içinde,
"Ah! Şairim bu akşam da geçmedi" diyeceksin.

Ve ulaşacak bu son şehre kaderin yolu,
Kapayacak pişman bir el kapısını ömrünün;
Hatırlayacaksın beni gözlerin yaşla dolu,
Güzelliğin yalnız şarkılarımda kaldığı gün.

Mehmet Ali Sel adıyla, Nisan 1937

(Varlık, 1.6.1937)

MASAL

Çocuk gönlüm kaygılardan âzâde;
Yüzlerde nur, ekinlerde bereket;
At üstünde mor kâküllü şehzade:
Unutmaya başladığım memleket.

Şakağımda annemin sıcak dizi,
Kulağımda falcı kadının sözü,
Göl başında padişahın üç kızı,
Alaylarla Kafdağına hareket.

1936

(Varlık, 1.6.1937)

UYKU

Üzerinde beni uyutan minder
Yavaş yavaş girer ılık bir suya,
Hind'e doğru yelken açar gemiler,
Bir uyku âlemine doğar dünya.

Sırça tastan sihirli su içilir,
Keskin Sırat koç üstünde geçilir,
Açılmıyan susam artık açılır,
Başlar yolu cennete giden rüya.

1936

(*Varlık*, 1.6.1937)

SON TÜRKÜ

Kaybolmak üzre suya düşen bilezik;
Bak, bütün kırışıklar silindi sudan.
Son saatimde mi uyandım uykudan,
Neden boş geçen yıllardan içim ezik?

Durdu beni ölüme götüren kervan.
Eski bir şarkı söyleniyor rüzgârda.
Duydum ki sevmeyi bilen dudaklarda
Benim ilâhilerim hâlâ okunan.

Sevdiğim.. ellerime dokunaraktan...
Beni çağıran bir eda var sesinde.
Bu muydu insanlara son nefesinde
Görüneceğinden bahsedilen şeytan?

Sular çekilmiye başladı köklerde
Isınmaz mı acaba ellerimde kan?
Ah! Ne olur bütün güneşler batmadan
Bir türkü daha söyliyeyim bu yerde!..

Ankara, Ekim 1936

(*Varlık*, 15.6.1937)

TÛBÂ

Güneşli mavi ellere yelken açar
Beyaz kanatlı, altın yüklü gemiler,
Ve uçup giden hülyamızda ağaçlar..
Çeşmelerinden âbıhayat akan yer.

Beyaz kuşlarla ve günlerce yolculuk,
Sihirli Hind'e doğru açılan dibâ;
En sonunda, bereket akıtan oluk;
Olgun yemişleri yere değen Tûbâ.

1936

(*Varlık*, 15.7.1937)

HABER

Akşamla bak yine yandı gül rengi buhurdan
Bin bir hülyaya açık penceremin camında.
Sükût örüp bu sıcak sonbahar akşamında
Bir âlem doğdu yine giden günün ardından.

Sardı o her akşamki sessizlik yokuşları,
Bir âlem doğdu yine giden günle beraber;
Geldi medar ellerinden beklediğim haber,
"Başladı cıvıltıya canevimin kuşları."

Gördüm giden günün ardından sulara dalan
Gözlerin yeni bir dünyaya açıldığını;
Bir üstüva âlemine yaklaşıldığını,
Bu akşam kuşlarının ufuktan koptuğu an.

Kuruldu bir âlem her günkü dünyamdan uzak,
Kaybolduğum düşünceye ve kendime yakın.
Kuşlar.. dizi dizi kuşlar.. kuşlar akın akın..
Rüyam benden bu akşam ve ben rüyamdan uzak.

Mehmet Ali Sel adıyla, 1937

(*Varlık*, 15.8.1937)

ÖLÜMDEN SONRA NEŞELENMEK İÇİN
LİED

Ben sonsuz bir deniz düşünürüm;
Bulutlar başımın üzerinden
Bir Olymp ilâhı sükûnile
                    Geçip giderken

Ve kır melekleri
Şarkılarını söyleyip
Raksederken ekin tarlalarında,
                    Göze görünmeden.

Fakat neden, mavi gökyüzlerine
Genişlerken ağustos böceklerinin sesi,
Kuşlar yine onun türküsünü söyler?

Mayıs 1937
(*Varlık*, 15.8.1937)

SAĞLIĞINDA YAYIMLAMADIĞI
ESKİ BİÇİMLİ ŞİİRLERİ

EFSÂNE

Bir zamanlardı bu gamhânede bir dem vardı
Gece sahilde sular fecre kadar çağlardı

O çağıltıyla beraber döğünürken def ü çenk
Bir güneş dalgalar üstünde doğar rengârenk

Mavi bir gökyüzü titrerdi güzel bir histe
Rindler muğbeçeler mest bütün mecliste

Ve o hâletle bütün kahkahalar nağmeleşir
Dilde Yahya Kemal'in şarkısı şehnâmeleşir

O gürültüyle sular çalkalanır çağlardı
Bir zamanlardı bu gamhânede bir dem vardı

Lâkin artık o hayal âlemi bir efsâne
Ses sada yok bu değil sanki o devlethâne

(*Nokta*, 15.2.1951)

MAHALLEMDEKİ AKŞAMLAR İÇİN
(Lied)

Kımıldanır mahallemin daralan ruhu
Basma perdelerimde gün batarken.
Atıp saatler süren uykusunu
Odama uzanır akasyam pencereden.

Kırmızı uzak damlarda bir serinleme,
Uyanır gündüz uykusundan evler,
Kapılarda işleri ellerinde
Kadınlar giyinip kocalarını bekler.

İyi insanların ruhudur yakınlaşır,
Takunya sesleri gelir evlerden,
Yalnız bu dem rahat bir dünya taşır
Bin mihnet dolu kafasında yorgun beden.

Her şeyin geliş saatidir akşam
Mahallede ömürler akşamüstü başlar;
Hepsi burda buluşmaya gelir, akşam,
Başka dünyalardan ayaklar, başlar...

1937

(*Varlık*, 1.12.1951)

EKMEK

Dilimin ucunda bir eski arkadaş adı,
Unutulmuş şekilleri taşıyan bulutlar;
Bir gökyüzü genişliğiyle ruhuma dolar
Otların içine sırtüstü yatmanın tadı.

Avucumda sıcaklığını duyduğum ekmek;
Üstümde hâtırası kadar güzel sonbahar;
O bembeyaz, o tertemiz bulutlara dalar
Düşünürüm bir çocuk türküsü söyleyerek.

1936

(*Varlık*, 1.3.1952)

ŞARKI*

Felâh bulmadı bir türlü derd ü mihnetten
Ne türlü ateşe yanmış gönül muhabbetten
Müreccah olmalı divanelik bu hâletten
Ne türlü ateşe yanmış gönül muhabbetten

(Papirüs, 1.1.1967)

* Bu şiir Refik Fersan tarafından bestelenmiştir.

ŞARKI*

Dem bezm-i visâlinde hebâ olmak içindir
Cânım senin uğrunda fedâ olmak içindir
Nabzım helecânımda sedâ olmak içindir
Cânım senin uğrunda fedâ olmak içindir.

Bardak boşalır bencileyin dolmayı bilmez
Benzim gibi yaprak sararıp solmayı bilmez
Hiçbir şey canımca fedâ olmayı bilmez.
Cânım senin uğrunda fedâ olmak içindir.

(*Papirüs*, 1.1.1967)

* Bu şiir Suphi Ziya tarafından bestelenmiştir.

DERGİLERDE YAYIMLADIĞI,
AMA KİTAPLARINA ALMADIĞI
YENİ BİÇİMLİ ŞİİRLERİ

AĞAÇ*

Ağaca bir taş attım;
Düşmedi taşım,
Düşmedi taşım.
Taşımı ağaç yedi;
Taşımı isterim,
Taşımı isterim!

Oktay Rifat-Orhan Veli
Ağustos 1937

(*Varlık*, 15.9.1937)

* *Garip*'in birinci basımında "Veda Müsameresi" üst başlığıyla son şiir olarak, Orhan Rifat ve Orhan Veli ortak imzasıyla yayımlanmıştır.

HOY LU-LU

İsterim benim de acaip isimleri
Hiç duyulmamış zenci arkadaşlarım olsun.
Onlarla Madagaskar limanlarından
Çin'e kadar yolculuk yapmak isterim.
İsterim içlerinden bir tanesi
Vapurun güvertesinde yıldızlara karşı
"Hoy Lu-Lu" şarkısını söylesin her gece.

Ve bir gün ansızın bir tanesine
Rastgelmek isterim
Paris'te..

Mehmet Ali Sel adıyla
Ankara, Ağustos 1937

(*Varlık*, 15.9.1937)

DENİZ

Ben deniz kenarındaki odamda,
Pencereye hiç bakmadan,
Dışardan geçen kayıkların
Karpuz yüklü olduğunu bilirim.

Deniz, benim eskiden yaptığım gibi,
Aynasını odamın tavanında
Dolaştırıp beni kızdırmaktan
Hoşlanır.

Yosun kokusu
Ve sahile çekilmiş dalyan direkleri
Sahilde yaşayan çocuklara
Hiçbir şey hatırlatmaz.

Ankara, Eylül 1937

(*Varlık*, 15.9.1937)

YOKUŞ

Öteki dünyada akşam vakitleri
Fabrikamızın paydos saatinde
Bizi evlerimize götürecek olan yol
Böyle yokuş değilse eğer
Ölüm hiç de fena bir şey değil.

Ankara, Ağustos 1937

(*Varlık*, 15.9.1937)

YOLCULUK

Yolculuk niyetinde değilim.
Fakat böyle bir iş yapmaya kalksam
Doğru İstanbula gelirim.
Beni Bebek tramvayında görünce
Ne yaparsın acep?

Mamafih söylediğim gibi
Yolculuk niyetinde değilim!..

Mehmet Ali Sel adıyla
Ankara, Ağustos 1937

(*Varlık*, 15.9.1937)

PAZAR AKŞAMLARI

Şimdi kılıksızım, fakat
Borçlarımı ödedikten sonra
İhtimal bir kat da yeni esvabım olacak
Ve ihtimal sen
Yine beni sevmiyeceksin.
Bununla beraber pazar akşamları
Sizin mahalleden geçerken,
Süslenmiş olarak,
Zannediyor musun ki ben de sana
Şimdiki kadar kıymet vereceğim?

Mehmet Ali Sel adıyla
Ağustos 1937

(*Varlık*, 15.9.1937)

ASFALT ÜZERİNE ŞİİRLER

I

Ne kadar güzel şey:
Yolun üstündeki bina
Yıkıldığı zaman
Bilinmeyen bir ufuk görmek.

II

Kaldırımın kenarına dizilip
Bacası olan silindirin
Yürüyüşünü seyreden
Çocuklara imreniyorum.

III

Onun sesi
Bir arkadaşıma
Denizden geçen
Motorları hatırlatıyor.

IV

Kırık taşlara bakıp
Işıklı bir asfalt düşünmek
Acaba yalnız
Şairlere mi mahsus?

Ankara, Eylül 1937

(*Varlık*, 15.10.1937)

EDITH ALMERA

İhtimal ki şu anda o,
Brüksel'e yakın
Bir gölün kenarında
Edith Alméra'yı düşünmektedir.

Edith Alméra
Kafeşantanlarda muhabbet toplıyan
Bir Çigan orkestrasının
Birinci kemancısıdır.

O,
Kendisini alkışlıyanlara
Selâm verirken
Gülümser.

Kafeşantanlar güzeldir;
İnsan,
Orada çalışan kemancı kızlara
Âşık olabilir.

Mehmet Ali Sel adıyla
Ankara, Eylül 1937

(*Varlık*, 15.10.1937)

AĞACIM

Mahallemizde
Senden başka ağaç olsaydı
Seni bu kadar sevmezdim.
Fakat eğer sen
Bizimle beraber
Kaydırak oynamasını bilseydin
Seni daha çok severdim.

Güzel ağacım!
Sen kuruduğun zaman
Biz de inşallah
Başka mahalleye taşınmış oluruz.

Ankara, Eylül 1937

(*Varlık*, 1.11.1937)

MAHZUN DURMAK

Sevdiğim insanlara
Kızabilirdim,
Eğer sevmek bana
Mahzun durmayı
Öğretmeseydi.

Ankara, Eylül 1937

(*Varlık*, 1.11.1937)

MEYHANE

Mademki sevmiyorum artık,
O halde, her akşam
Onu düşünerek içtiğim
Meyhanenin önünden
Ne diye geçeyim?..

Mehmet Ali Sel adıyla
Ankara, Eylül 1937

(*Varlık*, 1.11.1937)

SEYAHAT

Söğüt ağacı güzeldir.
Fakat trenimiz
Son istasyona vardığı zaman
Ben dere olmayı
Söğüt olmaya
Tercih ederim.

Mehmet Ali Sel adıyla
Trende, Ekim 1937

(*Varlık*, 1.11.1937)

İNSANLAR

II

Her zaman, fakat, bilhassa
Beni sevmediğini
Anladığım zamanlarda
Görmek isterim seni de
Annemin kucağından
Seyrettiğim insanlar gibi,
Küçüklüğümde..

Ankara, Eylül 1937

(*Varlık*, 1.11.1937)

SEYAHAT ÜSTÜNE ŞİİRLER

I

Seyahat edildiği zamanlarda
Yıldızlar konuşur
Söyledikleri şeyler
Ekseriya
Hüzünlüdür.

II

Sarhoş olunduğu akşamlar
Islıkla çalınan şarkı
Neşelidir.
Halbuki aynı şarkı
Bir trenin penceresinde
Neşeli değil.

Trende, Ekim 1937

(*Varlık*, 15.12.1937)

YAŞIYOR MUSUN

Takmaya çalışırken kuyruğunu
Birlikte yaptığımız şeytan uçurtmasının
Görürdüm çırpınırdı ufacık kalbin.
Hatırımdan bile geçmezdi
Sana duyduklarımı söylemek.

Acaba hâlâ yaşıyor musun?

Mehmet Ali Sel adıyla
Ankara, Ağustos 1937

(*Varlık*, 15.12.1937)

SABAH

Elimi çok dallı bir ağaç gibi
Tutarım gökyüzüne
Ve seyrederim bulutları
Bir deve gürültüler içinde koşar, koşar, koşarken
Güneş doğmadan evvel varmak için
Ufka..

Mehmet Ali Sel adıyla
Ankara, Ekim 1937

(*Varlık*, 15.12.1937)

İNTİHAR

Kimse duymadan ölmeliyim
Ağzımın kenarında
Bir parça kan bulunmalı.
Beni tanımayanlar
"Mutlak birini seviyordu" demeliler.
Tanıyanlarsa, "Zavallı, demeli,
Çok sefalet çekti.."
Fakat hakiki sebep
Bunlardan hiçbirisi olmamalı.

Mehmet Ali Sel adıyla
Ankara, Aralık 1937

(*Varlık*, 15.12.1937)

SAKA KUŞU

Güzel kız, sen küçüklüğümde
Bahçemizdeki erik ağacının
En yüksek dalına kurduğum
Öksenin üstünde dolaşan
Saka kuşu kadar
Sevimli değilsin.

Mehmet Ali Sel adıyla
Ankara, Eylül 1937

(*Varlık*, 15.12.1937)

OKTAY'A MEKTUPLAR

I

10.12.37
Ankara
Saat 21

Kış, kıyamet..
Macar Lokantası'nda yazıyorum
İlk mektubumu.
Oktay'cığım
Bu gece sana
Bütün sarhoşların selâmı var.

II

12.12.37
Ankara
Saat 14.30

Şu anda dışarda yağmur yağıyor
Ve bulutlar geçiyor aynadan
Ve bugünlerde Melih'le ben
Aynı kız seviyoruz.

III

6.1.38
Ankara
Saat 10

Bir aydan beri iş arıyorum, meteliksiz.
Ne üstte var ne başta.
Onu sevmeseydim
Belki de beklemezdim
İnsanlar için öleceğim günü.

(*Varlık*, 15.1.1938)

MONTÖR SABRİ

Montör Sabri ile
Daima geceleyin
Ve daima sokakta
Ve daima sarhoş konuşuyoruz.
O her seferinde,
"Eve geç kaldım" diyor.
Ve her seferinde
Kolunda iki okka ekmek.

Mehmet Ali Sel adıyla
Kasım 1937

(*Varlık*, 15.1.1938)

SİCİLYALI BALIKÇI

Yüz sene sonra bugünkü dünyadan
Bir tek insan kalmadığı gün,
Sicilya sahillerinde yaşayan balıkçı
Bir yaz sabahı ağlarını atarken denize
Her zamankinden daha geniş gökyüzüne bakıp
Benden bir mısra mırıldanacak şarkı halinde
Bu dünyadan Mehmet Ali isminde bir şairin
Gelip geçtiğini bilmeksizin..

Bu güzel düşüncenin
Olmıyacağından eminim
Fakat nedense bu iş
Benim pek tuhafıma gidiyor.

Mehmet Ali Sel adıyla
Ankara, Ağustos 1937

(Gençlik, 19.5.1938)

İŞ OLSUN DİYE

Bütün güzel kadınlar zannettiler ki
Aşk üstüne yazdığım her şiir
Kendileri için yazılmıştır.
Bense daima üzüntüsünü çektim
Onları iş olsun diye yazdığımı
Bilmenin.

İstanbul, Kasım 1937

(*İnsan*, 1.10.1938)

YATAĞIM

Ben ki her akşam yatağımda
Onu düşünüyorum,
Onu sevdiğim müddetçe
Yatağımı da seveceğim.

30 Ocak 1938

(*İnsan*, 1.10.1938)

ALİ RIZA İLE AHMEDİN HİKÂYESİ

Ne tuhaftır Ali Rıza ile
Ahmedin hikâyesi!
Biri köyde oturur,
Biri şehirde
Ve her sabah
Şehirdeki köye gider,
Köydeki şehire.

1938

(İnsan, 1.10.1938)

MANGAL

Mangal yanarmış kapılarında akşam vakitleri,
Karanlıkta bir şey görünmezmiş
Ateşten ve dumandan başka.
Kıtlık senelerinde kömürün bolluğu
Huzur ve saadet verirmiş çocuk ruhuna
Şair arkadaşım Oktay Rifat'ın
Ve Münevver Hanım, validesi,
Balık pişirirmiş mangalda ve dumanını
Mukavvadan yelpazesiyle
Genzine doldururmuş arkadaşım.

1938

(İnsan, 1.10.1938)

LAKIRDILARIM

1914'de doğdum,
15'de konuştum;
Hâlâ konuşuyorum.
Lakırdılarım ne oldu?
Gökyüzüne mi gitti?
Belki de hepsi geri gelecek
Tayyare biçimine girip
1939'da.

Allah varsa eğer
Başka bir şey istemem ondan.
Bununla beraber istemem
Ne Allahın olmasını,
Ne de işimin
Allaha kalmasını.

Eylül 1939

(*Varlık*, 15.10.1939)

BİZİM GİBİ

Arzulu mudur acaba
Bir tank, rüyasında
Ve ne düşünür tayyare
Yalnız kaldığı zaman?

Hep bir ağızdan şarkı söylemesini
Sevmez mi acaba gaz maskeleri
Ay ışığında?

Ve tüfeklerin merhameti yok mudur
Biz insanlar kadar olsun?

Eylül 1939

(*Varlık*, 15.10.1939)

KARANFİL

Hakkınız var, güzel değildir ihtimal
Mübalağa sanatı kadar
Varşova'da ölmesi on bin kişinin
Ve benzememesi
Bir motörlü kıtanın bir karanfile,
"Yârin dudağından getirilmiş".

Eylül 1939

(*Varlık*, 15.10.1939)

KUŞ VE BULUT*

Kuşçu amca!
Bizim kuşumuz da var,
Ağacımız da.
Sen bize bulut ver sade
Yüz paralık.

(*Varlık*, 15.3.1940)

* Oktay Rifat-Orhan Veli ortak imzasıyla yayımlanmıştır.

QUANTİTATİF

Güzel kadınları severim,
İşçi kadınları da severim;
Güzel işçi kadınları
Daha çok severim.

Mehmet Ali Sel adıyla
Ankara, Ocak 1938

(*Varlık*, 15.3.1940)

SOKAKTA GİDERKEN

Sokakta giderken, kendi kendime
Gülümsediğimin farkına vardığım zaman
Beni deli zannedeceklerini düşünüp
Gülümsüyorum.

Mehmet Ali Sel adıyla

(*Varlık*, 15.3.1940)

BEN ORHAN VELİ*

Ben Orhan Veli,
"Yazık oldu Süleyman Efendiye"
Mısra-ı meşhurunun mübdii..
Duydum ki merak ediyormuşsunuz
Hususî hayatımı,
Anlatayım:
Evvelâ adamım, yani
Sirk hayvanı falan değilim.
Burnum var, kulağım var,
Pek biçimli olmamakla beraber.

Evde otururum,
Masa başında çalışırım.
Bir anne ile babadan dünyaya geldim.
Ne başımda bulut gezdiririm,
Ne sırtımda mühr-ü nübüvvet.
Ne İngiliz kıralı kadar
Mütevazıyım,
Ne de Bay Celâl Bayar'ın
Ahır uşağı gibi aristokrat.
Ispanağı çok severim.
Puf böreğine hele
Bayılırım.
Malda mülkte gözüm yoktur.
Vallahi yoktur.

* Orhan Veli'nin defterinde şiirin başlığı yoktur.

Yayan dolaşırım,
Mütenekkiren seyahat ederim.
Oktay Rifat'la Melih Cevdet'tir
En yakın arkadaşlarım.
Bir de sevgilim vardır, pek muteber;
İsmini söyleyemem,
Edebiyat tarihçisi bulsun.

Ehemmiyetsiz şeylerle de uğraşırım,
Meşgul olmadığım "ehemmiyetsiz"
Sadece üdeba arasındadır.

Ne bileyim,
Belki daha bin bir huyum vardır...
Amma ne lüzum var
Hepsini sıralamıya?
Onlar da bunlara benzer.

Nisan 1940

(*İnkılâpçı Gençlik*, 15.8.1942)

HAY KAY

Yosun kokusu
Ve bir tabak karides,
Sandıkburnu'nda

(*İnkılapçı Gençlik*, 17.10.1942)

SAĞLIĞINDA YAYIMLAMADIĞI YENİ BİÇİMLİ ŞİİRLERİ

CÂNÂN

Cânân ki Degüstasyon'a gelmez
Balıkpazarı'na hiç gelmez

(*Yeni Dergi*, 1.2.1951)

İÇKİYE BENZER BİR ŞEY

İçkiye benzer bir şey var bu havalarda.
Kötü ediyor insanı, kötü...
Hele bir de hasretlik oldu mu serde;
Sevdiğin başka yerde,
Sen başka yerde;
Dertli ediyor insanı, dertli.

İçkiye benzer bir şey var bu havalarda,
Sarhoş ediyor insanı, sarhoş.

(Varlık, 1.9.1951)

ÜSTÜNE

Kuşlar geçer bulutun üstünden,
Yağmur yağar bulutun üstüne.

Kuşlar geçer trenin üstünden,
Yağmur yağar trenin üstüne.

Kuşlar geçer gecenin üstünden,
Yağmur yağar gecenin üstüne.

Ve ay gelir, kuşlar nereye giderse..
Güneş doğar yağmurun üstüne.

Mart 1939

(*Vatan*, 16.11.1952)

ŞEHİR HARİCİNDE

Çatlamak üzre olan tomurcuklar
Güzel günler vâdetmededir.
Ve bir kadın, şehir haricinde;
Otların üstünde,
Güneşin altında,
Yüzükoyun uzanmış;
Göğsünde ve karnında
Baharı hissetmededir.

Mayıs 1939

(*Vatan*, 16.11.1952)

HAYAT BÖYLE ZATEN

Bu evin bir köpeği vardı;
Kıvır kıvırdı, adı Çinçon'du, öldü.
Bir de kedisi vardı : Mâviş,
Kayboldu.
Evin kızı gelin oldu,
Küçük Bey sınıfı geçti.
Daha böyle acı, tatlı
Neler oldu bir yıl içinde!
Oldu ya, olanların hepsi böyle..
Hayat böyle zaten!..

Haziran 1939

(*Vatan*, 16.11.1952)

RÖNESANS

Yarın rıhtıma gitmeli,
Rönesans çıkacak vapurdan.
Bakalım, nasıl şey Rönesans?
Kılığı, kıyafeti nasıl?
Şık mı, sünepe mi?
Siyasî mi, bastonu var mı elinde?
Yoksa kâküllü, bıyıklı;
Hokkabaza mı benziyor?
Ambardan mı çıkacak, kamaradan mı?
Yoksa ateşçi filân mı,
Çalışarak mı geliyor gemide?

Temmuz 1939

(*Vatan*, 16.11.1952)

TEREYAĞI

Hitler amca!
Bir gün de bize buyur.
Kâkülünle bıyıklarını
Anneme göstereyim.
Karşılık olarak ben de sana
Mutfaktaki dolaptan aşırıp
Tereyağı veririm.
Askerlerine yedirirsin.

Eylül 1939

(*Vatan*, 16.11.1952)

GANGSTER

(Hitler kendini edebiyata verecek)

Şiir yazdım bunca senedir,
Ne buldum?
Eşkiyalık edeceğim bundan sonra.

Haberi olsun yol kesenlerin:
İş yok artık kendilerine
Dağ başlarında.

Mademki ekmeklerini alıyorum
Ellerinden,
Buyursunlar onlar da benim yerime.

Münhal var edebiyat âleminde.

Eylül 1939

(Vatan, 16.11.1952)

VEDA

Yolum asfalt,
Yolum toprak,
Yolum meydan,
Yolum gökyüzü
Ve ben neler düşünüyorum!

Aşkı, yağmuru,
Tramvay sesini,
Otelciyi..
Ve bir mısra mırıldanıyorum
Sıcak bir yemek lezzetinde.

*

Postacı, jandarma ve işsiz
Hâlâ gidip geliyorlar.
Yalnız Niyazi oturuyor,
Rahmetli Süleyman Efendinin oğlu,
Kahvede.
Ajans dinliyor, düşünüyor:
"Harp olur mu,
Kıtlık olur mu?" diye.

Yahut o da biliyor,
Yakında muharebeye gideceğini.

Ekim 1939
(*Vatan*, 16.11.1952)

TENEZZÜH

Böyle gece yarısından sonra
Ne diye ışık yanar bu dağ evinde?
Ne yaparlar acaba içerdekiler?
Konuşurlar mı, tombala mı oynarlar?
Belki o, belki bu...

Konuşurlarsa ne konuşurlar?
Muharebeden mi, vergilerden mi?
Belki de hiçbir şey yapmazlar;
Çocuklar uyumuştur,
Efendi gazete okur;
Ayali dikiş dikmektedir.
Onu da yapmazlar belki de.
Kim bilir,
Belki de yazılmaz
Ne yaptıkları.

Şubat 1940

(*Vatan*, 16.11.1952)

HARDALNAME

Ne budala şeymişim meğer,
Senelerden beri anlamamışım
Hardalın cemiyet hayatındaki mevkiini.
"Hardalsız yaşanmaz."
Bunu Abidin de söylüyordu geçende.
Daha büyük hakikatlere
Ermiş olanlara,
Biliyorum, lâzım değil ama hardal
Allah kimseyi hardaldan etmesin.

Mart 1940

(*Vatan*, 16. 11.1952)

BEYAZ MAŞLAHLI HANIM

Kalender'den sandala bindi
Beyaz maşlahlı hanım.
Bir elinde şemsiye,
Bir eliyle açtı yelpazesini;
Cuma günü Göksu'ya gitti
Beyaz maşlahlı hanım.

Eylül 1940

(*Vatan*, 16.11.1952)

FENA ÇOCUK

Mektepten kaçıyorsun,
Kuş tutuyorsun,
Deniz kenarına gidip
Fena çocuklarla konuşuyorsun,
Duvarlara fena resimler yapıyorsun;
Bir şey değil,
Beni de baştan çıkaracaksın.
Sen ne fena çocuksun!

Nisan 1941

(*Vatan*, 16.11.1952)

ÇOK ŞÜKÜR

Bir insan daha var, çok şükür, evde;
Nefes var,
Ayak sesi var;
Çok şükür, çok şükür.

(*Yeni Ufuklar*, Mayıs 1958)

BAYRAK

Ey bir muharebe meydanında
Avuçları kanımla dolu,
Kafası gövdemin altında,
Bacağı kolumun üstünde,
Cansız uyuyan insan kardeşim!
Ne adını biliyorum,
Ne günahını.
İhtimal aynı ordunun neferleriyiz
İhtimal düşman.
Belki de tanırsın beni.
Ben İstanbul'da şarkı söyleyen
Tayyareyle Hamburg'a düşen,
Majino'da yaralanan,
Atina'da açlıktan ölen,
Singapur'da esir edilenim.
Alınyazımı kendim yazmadım.
Bununla beraber biliyorum,
O yazıyı yazanlar kadar olsun,
Çilekli dondurmanın tadını,
Cazbant sesindeki sevinci,
Meşhur olmanın azametini.
Sen de nimetler tanırsın biliyorum;
Çaydan, simitten,
Kalınca bir paltodan gayri.
Zeytinyağlı enginar, kremalı keklik
Bir kadeh
Black and White viski,
Kıl pranga kızıl çengi bir esvap.

Yirmi yıllık çalışmanın
Bir kurşunluk hükmü varmış,
Hayata
Harkof bölgesinde atılmakmış nasip;
Aldırma.
Biz bir bayrak getirdik buraya kadar;
Onu da ileriye götürürler;
Şu dünyada topu topu
İki milyar kişiyiz,
Birbirimizi biliriz.

(*Papirüs*, 1.1.1967)

ŞAHESERİM

Âşık olduğum zamanlarda
Şiir yazmak âdetim değildi.
Halbuki asıl şaheserimi
Onu en çok sevdiğimi
Anladığım zaman yazdım.

Onun için bu şiiri
İlk önce ona okuyacağım.

Ankara, Eylül 1937

(*Papirüs*, 1.6.1967)

BEBEK SUITE'İ

Sekiz parçadan müteşekkildir.

Yol

Yol düzdür.
Üzerinden tramvay geçer,
Adamlar geçer,
Kadınlar geçer.

Kadınlar

Kadınlar..
Akşam, sabah
Tramvayı beklerler
Rejinin önünde.

Yeşil

Sevdikleri renk
Yeşildir.
Ellerinde
Yemek çıkınları.

Vatman

Hep karşıya bakar
Cıgara içmez
Vatman
Ömür adamdır

./..

Peyzaj

Evler, dükkânlar, duvarlar:
Kömür depoları,
Deniz;
Çatanalar, mavnalar, kayıklar.

Deniz

Denizi kim sevmez
Üstünde ve kenarlarında
Balık
Tutulduktan sonra.

Balıkçılar

Bizim balıkçılar
Kitaplardaki balıkçılar gibi
Şarkıyı
Bir ağızdan söylemezler.

Senin Evin

Bütün bu yollardan.
Tramvayla geçilir.
Halbuki senin evin
Daha ötededir.

İstanbul, Ekim 1937

(*Papirüs*, 1.6.1967)

BİR ŞEHRİ BIRAKMAK

Bu şehirde yağmur altında dolaşılır
Limandaki mavnalara bakıp
Şarkılar mırıldanılır geceleri.
Bu şehrin sokakları çoktur,
Binlerce insan gelir gider sokaklarında..

Her akşam çayımı getiren
Ve bir Beyaz Rus olmasına rağmen
Hoşuma giden garson kadın bu şehirdedir.

Bu şehirdedir
Valsler, fokstrotlar arasında
Şuman'dan, Brams'dan
Parçalar çaldığı zaman dönüp
Bana bakan ihtiyar piyanist.

Doğduğum köye müşteri taşıyan
Şirket vapurları bu şehirdedir.
Hâtıralarım bu şehirdedir.
Sevdiklerim,
Ölmüşlerimin mezarları.

Bu şehirdedir işim gücüm,
Ekmek param.

Fakat bütün bunlara mukabil
Yine budur başka bir şehirdeki
Bir kadın yüzünden
Bıraktığım şehir.

İstanbul, 18 Kasım 1937

(*Papirüs*, 1.6.1967)

KÜÇÜK BİR KALP

(Jules Supervielle'den mülhem)

Asfaltın üzerinden
Bisikletle geçen kızın
Bacaklarının arasında
Bir güvercin çırpınmada
Ve küçük bir kalp..
Küçük bir kalp çarpmadadır.

(Papirüs, 1.6.1967)

MANZARA

Karşı evin arkasından ay doğdu.
Akşam serinliği çıktı.
Tramvay sesleri geliyor,
Deniz kokusu geliyor uzaktan.
Manzaradan pek fazla mütehassisim.

Nisan 1940

(*Papirüs*, 1.6.1967)

RESİMLER

Hiçbiri ona ait değil,
Fakat ne hazin isimleri var
Şu resimlerin:
"Nisan sabahı",
"Yağmurdan sonra"
Ve *"Dansöz"*
Baktıkça ağlamak geliyor içimden.

Nisan 1940

(*Papirüs*, 1.6.1967)

İlk Dize Dizini